Le Bonheur total

D1596414

ŒUVRES DE VICTOR-LÉVY BEAULIEU

Mémoires d'outre-tonneau, Éditions Estérel, 1968. • *Race de monde*, Éditions du Jour, 1968; Éditions Stanké, Québec 10/10, 1986. • *La Nuitte de Malcomm Hudd*, Éditions du Jour, 1969. • *Jos Connaissant*, Éditions du Jour, 1970; Éditions Stanké, Québec 10/10, 1986. • *Jos Connaissant*, traduction de Raymond Chamberland, Exile Editions, 1982. • *Pour saluer Victor Hugo*, Éditions du Jour, 1970; Éditions Stanké, Québec 10/10, 1985. • *Les Grands-pères*, Éditions du Jour, 1971; Éditions Stanké, Québec 10/10, 1986. • *Les Grands-pères*, Éditions Robert Laffont, 1973. • *The Grand-Fathers*, traduction de Marc Plourde, Harvest House, 1973. • *Jack Kérouac*, Éditions du Jour, 1972; Éditions Stanké, Québec 10/10, 1987. • *Jack Kérouac*, Éditions de l'Herne, 1973. • *Jack Kerouac*, traduction de Sheila Fischmann, The Coach House Press, 1975. • *Un rêve québécois*, Éditions du Jour, 1972. • *A Québécois Dream*, traduction de Raymond Chamberland, Exile Editions, 1978. • *Oh Miami, Miami, Miami*, Éditions du Jour, 1973. • *Don Quichotte de la Démanche*, Éditions de l'Aurore, 1974; Éditions Stanké, Québec 10/10, 1988. • *Don Quichotte de la Démanche*, Éditions Flammarion, 1978. • *Don Quixotte in Nighttown*, traduction de Sheila Fischmann, Press Porcepic, 1978. • *En attendant Trudot*, Éditions de l'Aurore, 1974. • *Manuel de la petite littérature du Québec*, Éditions de l'Aurore, 1975. • *Blanche forcée*, VLB Éditeur, 1976. • *Blanche forcée*, Éditions Flammarion, 1976. • *Ma Corriveau*, VLB Éditeur, 1976. • *N'évoque plus que le désenchantement de ta ténèbre*, VLB Éditeur, 1976. • *Monsieur Zéro*, VLB Éditeur, 1977. • *Sagamo Job J*, VLB Éditeur, 1977. • *Cérémonial pour l'assassinat d'un ministre*, VLB Éditeur, 1978. • *Monsieur Melville*, VLB Éditeur, 1978. • *Monsieur Melville*, Éditions Flammarion, 1980. • *Monsieur Melville*, traduction de Raymond Chamberland, Exile Editions, 1984. • *La Tête de Monsieur Ferron ou Les Chians*, VLB Éditeur, 1979. • *Una*, VLB Éditeur, 1980. • *Satan Belhumeur*, VLB Éditeur, 1981. • *Satan Belhumeur*, traduction de Raymond Chamberland, Exile Editions, 1983. • *Moi Pierre Leroy, prophète, martyr et un peu fêlé du chaudron*, VLB Éditeur, 1982. • *Discours de Samm*, VLB Éditeur, 1983. • *La Boule de caoutchouc*, in *Dix Nouvelles humoristiques*, Quinze Éditeur, 1985. • *The Rubber Ball*, traduction de Ray Ellenwood, Penguin Books Canada Limited, 1986. • *Docteur L'Indienne*, in *Aimer*, Quinze Éditeur, 1985. • *Steven le Hérault*, Éditions Stanké, 1985. • *Steven le Hérault*, traduction de Raymond Chamberland, Exile Editions 1987. • *Chroniques polissonnes d'un téléphage enragé*, Éditions Stanké, 1985. • *L'Héritage* (I. L'automne), Éditions Stanké, 1987. • «*La Robe de volupté*», in *Premier Amour*, Éditions Stanké, 1988. • *Votre fille Peuplesse par inadvertance*, Stanké/VLB Éditeur, Éditions Stanké, 1990. • *Docteur Ferron. Pèlerinage*, Éditions Stanké, 1991. • *La Maison cassée*, Éditions Stanké, 1991. • *Pour faire une longue histoire courte*, (entretien avec Roger Lemelin), Éditions Stanké, 1991 • *L'Héritage* (II. L'hiver), Éditions Stanké, 1991. • *Sophie et Léon et Seigneur Léon Tolstoï*, Éditions Stanké, 1992. • *Gratien, Tit-Coq, Fridolin, Bousille et les autres*, (entretien avec Gratien Gélinas), Éditions Stanké, 1993 • *La Nuit de la grande citrouille*, Éditions Stanké, 1993. • *Les Gens du fleuve*, Éditions Stanké, 1993. • *Monsieur de Voltaire*, Éditions Stanké, 1994. • *Le Carnet de l'écrivain Faust*, Éditions Stanké, 1995.

VICTOR-LÉVY BEAULIEU

Le Bonheur total

VAUDECAMPAGNE

....

Illustrations de Yayo

Stanké

Données de catalogage avant publication (Canada)

Beaulieu, Victor-Lévy, 1945-
   Le Bonheur total : vaudecampagne
   Théâtre.
   ISBN 2-7604-0496-X
   I. Titre.

PS8553.E23B66 1995   C842'.54   C95-940902-5
PS9553.E23B66 1995
PQ3919.2.B42B66 1995

Les éditions internationales Alain Stanké bénéficient du soutien financier du Conseil des Arts du Canada pour leur programme de publication.

© Victor-Lévy Beaulieu et Les éditions internationales Alain Stanké, 1995

Tous droits de traduction et d'adaptation réservés; toute reproduction d'un extrait quelconque de ce livre par quelque procédé que ce soit, et notamment par photocopie ou microfilm, strictement interdite sans l'autorisation écrite de l'éditeur.

Toute ressemblance avec des personnes existantes ou ayant existé est purement fortuite.

ISBN 2-7604-0496-X

Dépôt légal: deuxième trimestre 1995

IMPRIMÉ AU QUÉBEC (CANADA)

Présentée par
Les Productions théâtrales de Trois-Pistoles

Le Bonheur total
de Victor-Lévy Beaulieu

a été créée le 4 juillet 1995
au *Caveau-Théâtre*
dans une mise en scène de Roger Blay
assisté de Hélène Élément,
une scénographie de Yvan Gaudin,
des éclairages de Hélène Élément,
une direction technique d'André April,
une musique originale de Marie Pelletier
avec la voix de Nathalie Choquette

avec

Manon Gauthier
dans le rôle de Madame Belleau

Daniel Simard
dans le rôle de Beauregard Litalien

Hélène Mercier
dans le rôle de Romaine

Christiane Proulx
dans le rôle de Roma

Maryse Ouellet
dans le rôle de la femme-cheval

Premier acte

Quand le rideau se lève, on ne voit que la partie centrale de la scène qui est éclairée comme pour une fin de journée de printemps. On est dans un petit parc de Montréal: une fontaine au milieu, deux bancs, quelques arbustes. En même temps que le rideau se lève, la femme-cheval apparaît, pousse un hennissement puis traverse la scène, portant un panneau de chaque côté d'elle. Sur le premier panneau est écrit: «Toute ressemblance avec des personnages existant réellement est pure coïncidence.» Sur le deuxième panneau est écrit: «Toute ressemblance avec des personnages existant réellement n'est peut-être pas pure coïncidence.» Quand tout le monde a vu les deux panneaux, la femme-cheval disparaît en hennissant. Puis, on voit, déguisée en employé de la ville, arborant une grosse moustache, madame Belleau qui se met à mopper l'espace dallé entourant la fontaine. Dans leur univers surélevé à chaque extrémité de la scène, Romaine et Roma ne sont que des silhouettes et on devine à peine qu'elles sont en train de lire avec grande attention.

Madame Belleau

(*Tout en moppant, au public.*) C'est ben connu: les écrivains ont toutes sortes de manies. Après l'écriture de chacun de ses livres, Balzac achetait plein de vieux meubles mais y en profitait jamais parce que ses créanciers les saisissaient avant que Balzac ait eu le temps de s'assir dedans. Quant à Victor Hugo, y se trouvait une autre maîtresse, de préférence bovine, bègue pis ben bottée, sinon bottable. Marcel Proust fréquentait les bains publics, pour mieux observer derrière un judas les beaux garçons qui se baignaient flambant nus. (*S'appuyant sur sa moppe.*) Mais ça, c'est en France que ça se passait. Icitte au Québec, les écrivains ont jamais eu vraiment de manies: y avaient déjà ben assez de misère à écrire sans penser en plusse à se craire originaux. Pour parler net, y a donc fallu que moi, madame Belleau, téléromancière, je vienne au monde pour que notre littérature arrive enfin dans ses grosseurs... les miennes! J'ai changé la farce du petit écran en mettant partout des femmes pour régler leur cas aux hommes. Pis j'ai si tant tellement ben réussi dans mon entreprise que me voilà-ti pas maintenant à court d'idées pour le prochain téléroman qu'y faut pourtant que j'écrive si je veux changer ma vieille BMW pour une Cadillac aussi rutilante que féminine. (*Ajustant sa moustache, passant la main sur son bleu de travail.*) C'est pour trouver mon inspiration que je me déguise en homme de ménage, ce qui me permet d'espionner le peuple tout à mon aise. Ce que le peuple est, c'est généralement pas brillant brillant mais à Télé-Nécropole, on est pas exigeant plusse que de raison: du moment que votre texte remplit l'heure pour laquelle on vous paye, ça les contente généralement. (*S'appuyant encore sur sa moppe.*) Mais j'ai tellement écrit que j'ai pas mal épuisé toute mon répertoire de situations mélodramatiques. Je peux pus faire dire à mes personnages sans faire rire de moi: «Passe-moi le café, passe-moi le beurre, passe-moi le sel, passe-moi le sucre, passe-moi le jus de tomate, passe-moi le beurre de pinottes ou ben passe-moi le sirop d'érable.» Mon auditoire aussi féministe que culturé le prendrait pus. Y m'crierait que je suis devenue une vieille ceinture fléchie. Faut donc que je trouve autre chose. En attendant que ça vienne, je me contenterais ben d'un bon petit procès, mais les hommes ont maintenant trop peur de moi pour pas se coucher de toute leur long... ce qui les agrandit pas, croyez-moi!... dès que je me montre la face. (*Se remettant à mopper.*) C'est pour ça que je me déguise en homme de ménage. Comme ça, je fais moins peur aux hommes, je peux entendre toutes les niaiseries qu'y disent, je les emmagasine pis tantôt, craignez pas, je saurai ben dans mon prochain téléroman les virer encore une fois à l'envers dans toute leur couillonnerie. Sinon, je m'appellerais pus madame Belleau pis le Québec devrait vivre un deuil ben plusse pire que même celui qu'on a connu à mort de René Lévesque. (*Tirant une montre de sa poche.*) Ça devrait commencer betôt. C'est toujours comme ça que ça se passe dans un téléroman: après les annonces commerciales, on a au moins dix grosses minutes pour retenir son envie de pisser.

Madame Belleau se remet à mopper. L'éclairage monte aux deux extrémités de la scène, nous faisant voir Roma et Romaine.

Roma est une femme dans la trentaine, plutôt épaisse de corps et plutôt laide que belle; elle est affligée de cette légère infirmité qui rend ses mouvements de cou malaisés et la force souvent à laisser tomber son corps vers l'avant. Romaine, sa sœur aînée, est fort belle par ce qui reste toujours de très vivant de la splendeur de sa jeunesse; elle est aguichante aussi bien par son corps que par son attitude. Autant Roma est négligée dans son vestimentaire par manque de goût, autant Romaine fait grand soin du sien, ne serait-ce que pour se rajeunir.

Aux deux extrémités de la scène, les deux sont assises, chacune dans son univers symbolisé par quelques meubles et des accessoires; c'est un bureau de Revenu Québec pour Roma et une petite salle de la Bibliothèque nationale pour Romaine. Leurs univers sont surélevés par rapport au reste de la scène. Il pourrait y avoir des affichettes. Celles-ci pour le bureau de Roma: Revenu Québec veut votre bien; Vos intérêts sont capitaux pour nous; Qui aime bien sait toujours en imposer. Pour le bureau de Romaine, celles-ci qui sont comme les commentaires des photos d'Émile Nelligan, Yves Thériault, Michel Tremblay et Robert Choquette: Le grand auteur est de préférence mort et enterré; Autant en importe la ligne; La grosse femme d'à côté est en scène; Un chef-d'œuvre: La Suite marinée. Roma et Romaine lisent de vieux ouvrages dont elles changent à chaque extrait qu'elles donnent à entendre au public. Pendant qu'elles font ça, Beauregard Litalien entre sur la scène, va vers la fontaine et les deux bancs qu'il y a au milieu. Il s'assoit sur l'un des deux bancs, tire une enveloppe de l'une de ses poches, la décachète et se met à lire. Beauregard est dans la quarantaine et, rien qu'à son corps qui est aguicheur de partout, on devine qu'il a une sensualité débordante parce que extravertie. Un vrai baby-boomer.

À tour de rôle, les trois lisent: Roma comme s'il s'agissait d'une déclaration de revenus; Romaine

*avec dédain; et Beauregard silencieusement et sc ns
aucun intérêt d'abord, puis de plus en plus sollicité
au fur et à mesure de sa lecture.*

Roma

L'homme à lui seul est la preuve vivante et la plus
irrécusable de l'existence de Dieu; car pour peu qu'il
veuille s'examiner, l'homme verra qu'il est supérieur
à la nature entière dont le Créateur l'a fait roi, et
que le Soleil et ces milliers d'astres qui brillent sur
nos têtes sont inférieurs infiniment à l'homme dans
l'ordre de la Création. (*Levant la tête.*) Ben quoi!
C'est normal que l'homme soit supérieur parce que
c'est sûrement pas une femme qui aurait pu inventer
des déclarations de revenus aussi tarabiscotées que
celles que je révise pour Revenu Québec à journée
longue. C'est tellement ben songé qu'entre ça pis le
prêt usuraire on pourrait pas voir la différence:
toutes les dépenses sont permises en autant qu'a
soyent imposables pis deux fois plutôt qu'une étant
donné que même les taxes sont devenues taxables!
Vraiment supérieur, l'homme imposable pis imposé!
Ça, c'est sûr, aussi sûr que, des fois, j'en perds la tête!

Madame Belleau

(*Au public.*) Je pourrais pas mieux commencer un
téléroman. C'est tellement gros qu'on dirait même
que c'est moi qui raisonne tout haut. (*Avant de se
mettre la main sur la bouche.*) Excusez-moi: c'est pus à
mon tour de parler. Je suis juste là pour écouter... pis
mopper.

Elle s'y livre, obligeant Beauregard à lever les pieds.

Romaine

(*Lisant à son tour.*) Bien folles, les femmes qui s'écrieraient comme dans *Hamlet* (*elle prononce dérisoirement* Omelette) que l'homme est le chef-d'œuvre de Dieu, parce que les femmes ne voient rien de supérieur ici-bas. Des êtres intelligents qui se borneraient à respirer par la peau n'auraient-ils pas au moins sur l'homme l'avantage de ne pas mourir du cancer du poumon? (*Levant la tête.*) Toute l'histoire de l'homme est dans une phrase aussi simplement définitive que celle-là. Quand on pense aux hommes, on voit ben qu'y sont des grosses, des très grosses boules... shit!

> *Déposant son livre, elle en choisit un autre dans la pile qui est devant elle et, l'ouvrant, s'y plonge.*

Madame Belleau

(*Au public.*) Si j'étais moins curieuse, je me déferais comme homme de ménage pour me mettre tusuite à écrire. J'en aurais déjà pour au moins un épisode complet de téléroman. Mais la patience étant une vertu qu'on vous paye à la ligne à Télé-Nécropole, je suis aussi ben de me faire toute petite... dans la mesure de mon gros possible évidemment.

> *Madame Belleau essaie de se dissimuler derrière une poubelle.*

Beauregard

(*Il a fini de lire sa lettre, levant la tête.*) Vaudrait mieux que je relise ça, à voix haute pour être certain que mes yeux m'ont pas trompé. (*Lisant.*) «Mon cher

Beauregard et néanmoins neveu. Je t'adresserais ces mots à mon corps défendant si mon corps était seulement capable de se défendre encore. Je viens d'apprendre que j'ai le ventre en débriscaille à cause que mes intestins sont plus capables de s'arrêter d'y monter. Bref, et pour rien te cacher, j'ai le cancer. C'est donc plus ta tante qui te parle mais sa maladie. Comme cette maladie-là en a plus pour longtemps à se faire intuber, ça serait mieux que tu viennes me voir sans pisser à tous les poteaux de téléphone en t'en venant. Sinon, le risque est grand pour que t'arrives trop tard, aussi bien pour mon débranchement que pour l'héritage que je pourrais bien te laisser. Je joins à ma lettre un ticket de train sur l'Océan Limité. Si tu décidais de pas t'en servir, garde le ticket précieusement, de préférence dans un cadre, parce que ça sera le seul héritage que t'obtiendras jamais de moi. Si cette lettre te déchire, t'as qu'à lui rendre la pareille. Et je signe presquement toute mourue déjà en restant néanmoins ta tante Alice.» (*En fourrant la lettre dans sa poche.*) Ma tante Alice! Qu'elle se meure de ses intestins, j'en ferai sûrement pas de l'eau de boudin! Cette vieille fendue-là m'en a assez faite endurer quand j'étais jeune! La vieille déflaboxée, quand je pense!

Madame Belleau

(*Au public.*) Si j'avais pas déjà signé mon contrat pour le téléroman que je dois écrire, j'en connais un qui passerait vite dans le tordeur, pis ça serait pas celui des petites créances! Y se retrouverait avec un vrai procès devant rien de moins que la Cour supérieure, faites-moi confiance là-dessus!

Romaine

(*Lisant.*) Car si un homme paraît parfois avoir du génie, c'est souvent parce que ses hémorroïdes sont remontées à son cerveau... à son cerveau ou bien à ce qui lui en reste!

Madame Belleau

(*Au public.*) Ça, c'est dit à mon goût! (*Vers Roma.*) Si j'étais pas immortelle, je mourrais pour entendre ça signé par moi à télévision! (*Avant de se mettre la main sur la bouche.*) Excusez-moi: j'étais en train de me comporter comme un homme... j'étais en train de perdre la tête.

Roma

(*Lisant.*) Les hommes sont, pour l'ordinaire, de deux couleurs opposées, l'une claire et l'autre foncée, afin que peu importe où ils sont dans la maison, on puisse les reconnaître des meubles. (*Levant les yeux.*) C'est le cas de le dire: grâce aux livres que Romaine me force à lire, je vas me coucher moins niaiseuse à soir!

Madame Belleau

(*Au public, après avoir tiré sa montre de sa poche.*) J'aimerais ben rester plus longtemps mais, après cinq heures, ma vieille BMW risque d'avoir un ticket. Comme j'aime mieux les subventions que les contraventions, je vas m'en occuper dès maintenant. (*Vers Beauregard.*) J'en connais un qui est aussi ben d'en profiter pendant ce temps-là. Autrement, le risque est grand pour lui de se retrouver betôt toasté des deux bords comme disait le Balzac des pauvres qui s'est réfugié à Trois-Pistoles depuis que je l'ai pleumé dans toute son héritage comme un petit coq de plâtre!

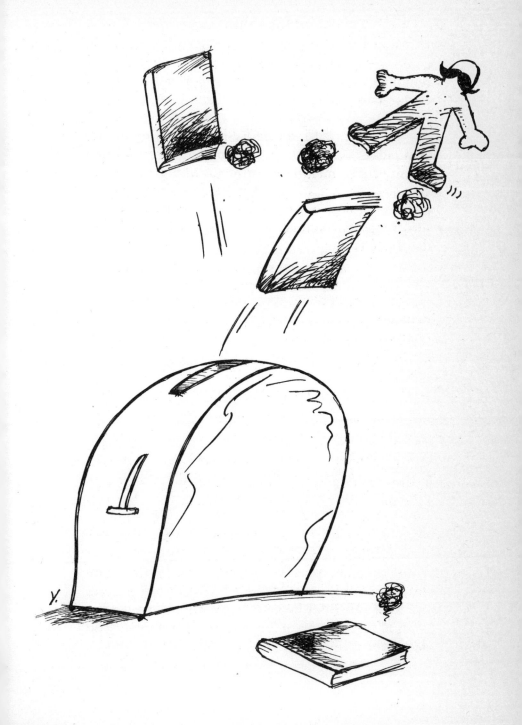

Elle sort de scène avec sa moppe et son seau.

Beauregard

(*La regardant sans la voir vraiment.*) La vieille fendue... la vieille sagouine de matante Alice! Était assez laite qu'un péché mortel, comparé à ça, c'était à se faire donner le paradis sans confession! Avait trois grosses verrues dans face, la première toute suppurante sus le menton, l'autre avec des grands poils follettes sur la joue gauche... pis ça tombait mal parce que c'était tout le temps là-dessus que moi, y fallait que je l'embrasse, matante Alice! Pour la troisième verrue, c'était en plein là où c'est que le dos perd son nom depuis longtemps! Matante Alice avait le sexuel obsédé en pas pour rire. Parce que j'étais orphelin pis qu'a m'a élevé toute fine seule avec elle-même, ça l'a faite devenir macho à mort. A voulait toute bosser, même le petit grippette que j'avais entre les jambes. Comme y était plus fendant que moi, y l'a mal pris. Faut le comprendre, mon grippette, parce que quand ben même ça se passait par-devant ou par-darrière, c'était dans l'affreux en gonnebitche: matante Alice avait la face comme un darrière pis le darrière comme sa face! Ça me faisait peur peu importe le bord que ça se présentait. J'ai sacré le camp de chez matante Alice aussitôt que j'ai été en âge de raisonner. Si j'ai gardé le contact avec cette vieille squapeuse-là, c'est que malgré son côté serre-la-couille j'écrivais juste assez ben pour l'enfirouâper. Quand quéqu'un reste à distance, te paye ta bière, ton pot pis ta coke, ça vaut ben la peine de se creuser les méninges un brin. Mais toute ça m'emmène là où c'est que je me trouve dans le moment: (*En anglais.*) prendre ou pas prendre l'Océan Limité pour Trois-Pistoles, c'est ben là toute la question. Si je monte à bord de l'Océan Limité, je risque de me retrouver avec une matante Alice dont la seule maladie pourrait ben être celle de m'avoir menti comme une arracheuse de dents. Mais si je monte pas à bord de l'Océan Limité, je risque de pardre à tout jamais le bas de laine pis le chaudron de fer! Dans cave de la vieille déflaboxée, ça doit déborder de beaux billets du Dominion comme quand j'étais petit. Pis y a la maison itou, les bâtiments, les terres, les bêtes pis la sainte réguine. Je peux pas laisser filer toute ça entre mes doigts. (*Comme s'il interrogeait le ciel.*) Que c'est que je devrais donc faire? Si je bâille comme du monde, je vas sûrement trouver la réponse. Si la méthode était bonne pour Einstein, je vois pas pourquoi je m'empêcherais d'en profiter.

Il bâille à s'en décrocher les mâchoires, dans une parodie de l'enseignement Taï-Chi.

Roma
(*Elle bâille mêmement et regarde sa montre.*) On va dire que j'ai assez faite gagner d'argent au gouvernement pour aujourd'hui. Les chômeurs hypocrites qui travaillent au noir pis qui fraudent l'impôt, j'en ai déconcrissé trente-quatre rien qu'aujourd'hui. Y a plusieurs ministères qui sortiraient du bois, à commencer par celui des Forêts, si c'est moi qui les dirigeais. Aux contribuables, je te leur en ferais, moi, des coupes à blanc dans leurs fausses déclarations de revenus! Y vivraient pas assez vieux pour avoir des varices ni pour s'en aller prendre souche pis abri fiscal à Miami! (*Regardant sa montre encore.*) Cinq heures trois minutes. Je resterais assise ici douze minutes de plusse à

regarder les nuages qui passent sur Montréal pis j'aurais droit en tant que syndiquée à une heure de temps supplémentaire. (*Se levant.*) Mais je suis honnête, moi. À part ça, je crois au plein emploi tant que personne d'autre va penser à m'enlever le mien. (*Prenant un chapeau, le mettant, puis empoignant un énorme sac qui a la forme d'une boîte à lunch, regardant sa montre une autre fois.*) Romaine est mieux d'être dans le parc quand je vas y arriver. Sinon, a risque de se faire taxer de pas mal de noms communs dès qu'a va retontir! Ceux qui sont en retard, aussi ben dans leurs déclarations de revenus que dans leur vie tout court, j'aguis ça à mort!

Elle sort de scène.

Romaine

(*Lisant.*) Le membre sexuel du morse est un os. (*Relevant la tête.*) Ça m'en fait un bel entrejambe ça! Le nonosse dans la nounourse! De la grosse bouleshit encore! (*Jetant le livre sur la table.*) Dire qu'en écrivant des niaiseries pareilles certains de ces auteurs-là (*montrant les photos*) vendent leurs manuscrits les yeux de la tête à Bibliothèque nationale quand les Archives fédérales en veulent pas! (*Regardant encore sa montre.*) Cinq heures cinq. Faudrait pas que j'arrive dans le parc trop longtemps après Roma: a serait encore capable de me faire une crise d'apitoiement sur elle-même. Comme je peux m'en passer, ça serait mieux que je déguédine tusuite, pis d'autant plusse qu'avant y faut que je passe à Sûreté du Québec, à vraie SQ, pas celle qui s'occupe des Mohawks!

Elle sort de scène. Au même moment, Roma arrive près de la fontaine où elle s'arrête tout net en voyant Beauregard qui a sorti un mouchoir de sa poche et s'éponge le front. Croyant que Beauregard ne s'est pas aperçu de sa présence, Roma veut s'éclipser, comme sur la pointe des pieds. Beauregard cesse de s'éponger le front.

Beauregard
(*Regardant Roma.*) Dis-moi pas que c'est rendu que je te fais peur astheure! (*En aparté.*) Avec toute le magot que je lui dois, ça serait plutôt à moi d'avoir peur! Avec les jambes pis la face qu'a l'a aussi, ça serait plutôt à moi d'avoir peur! (*À Roma.*) D'habitude, tu prends le temps de t'assir, de manger les restes de ton dîner (*geste vers le gros sac que tient Roma*) pis, avant de passer la soirée à parlementer avec ta grande macho de sœur, tu jases un peu avec moi.

Roma
Je jasais avec toi mais depuis ce qui s'est passé l'autre soir, plus question que je le fasse jamais.

Beauregard
(*Faisant l'innocent, se levant.*) Que c'est qui s'est tant passé l'autre soir pour que tu babounes comme ça par-devers moi? Moi, je me souviens de rien de particulier, sauf qu'on a eu un fun noir à ton party de bureau de Revenu Québec. Même que, pour un peu, j'en serais pas encore revenu! Pour être imposant, ça l'était en queue de cochon.

Roma
Tu ris encore de moi.

Beauregard

Ben non. Je t'aime trop pour ça, pis tu le sais sacrement plusse que moi. T'es une femme. Les femmes, on peut jamais les tromper, nous autres les hommes. (*En aparté.*) Sont ben capables de faire ça tu seules elles-mêmes! (*Tout près de Roma.*) Avec les femmes, on peut juste mettre nos pieds pis tout le reste à leurs hommages.

Roma

(*Parce qu'il vient pour le faire, se dégageant.*) T'es rien qu'un agace-plotte!

Beauregard

Un agace-plotte? Je sais ben que le gouvernement a changé à Québec, mais je savais pas que le vocabulaire de la ministresse du Trésor en avait faite autant.

Roma

Vous autres, les hommes, vous dites ben d'une femme que c'est une agace-pissette! Pourquoi nous autres, on dirait pas que du monde comme toi, c'est des agace-plotte?

Beauregard

J'aime pas ça quand tu parles de même. Pour une femme, je trouve ça dévalorisant à mort. L'autre soir, tu jasais pas de même pantoute une fois que le party à Revenu Québec a monté dans les six chiffres du plaisir, capital, intérêts, TPS pis TVQ compris! (*Il se rapproche d'elle.*) Quand on s'est retrouvés toués deux fin seuls dans le petit salon, j'étais pas plusse un agace-plotte que toi t'étais une agace-pissette. (*Il la presse contre lui, essaie de la minoucher.*) De te laisser taponner un peu, avoue encore que t'aguirais pas ça pantoute.

Roma

(*Après s'être débattue pour échapper à son étreinte, se dégageant.*) Excuse-moi mais, la semaine passée, j'avais perdu la tête. J'ai pas l'habitude de boire du vin, moi.

Beauregard

T'appelles ça du vin, ce gros Baby Duck des pauvres qu'on nous a servi à ton party de Revenu Québec? Au prix que ça doit se vendre sur le marché, je comprends que la province soye aussi déficitaire: du vin pareil, on doit même pas en écouler assez pour payer l'embouteillage!... Tandis que moi, c'est pas le goulot qui me manque pour que ça coule avec le meilleur cru dans n'importe quel entonnoir!

Roma

(*Elle se dégage encore, alors que lui essaie toujours de la minoucher.*) T'es juste un menteur, Beauregard Li-talien! Même en fouillant dans toutes les poubelles qu'y a dans Montréal, on trouverait pas un menteur qui t'arriverait seulement à cheville!

Beauregard

Dessus ma vieille matante Alice que j'aime plusse que toute au monde (*levant les yeux*)... que l'Odieux qui se trouve dans les cieux en prenne témoignage!... je te jure que tu te méprends là-dessus! Pour tromper quéqu'un, faut pas avoir ben gros de respect pour lui, ni d'affection. Moi, ça déborderait comme de la pâte à tarte de son moule si je me retenais pas.

Roma

(*Elle le force à s'éloigner d'elle.*) Tu crois pas un mot de ce que tu me dis. T'as pas d'affection pour moi: t'en as juste pour l'argent que je te prête depuis qu'on se connaît. Au party de bureau à Revenu Québec, c'est pas pour mon corps que tu me faisais des salamalecs, mais pour mon compte en banque. (*Se retournant, lui faisant face.*) Romaine avait raison de me dire que je devais me méfier de toi.

Beauregard

Romaine aguit les hommes généralement.

Roma

Mais toi, c'est particulièrement qu'a te déteste. Tu m'as emprunté sais-tu au moins combien d'argent depuis qu'on se connaît?

Beauregard

Une poignée de pauvres petits billets du Dominion. C'est à peine si on peut appeler ça de l'argent!

Roma

Je t'ai prêté exactement huit mille quatre cent vingt-trois dollars et soixante-neuf cents. (*Sortant une calculette de son sac et pitonnant dessus.*) Si on ajoute à ça les intérêts composés pis quotidiens comme on fait au ministère du Revenu, plusse les pénalités prévues pour retard de paiement, plusse les frais d'adminis-tration, d'enveloppage, de timbrage pis de manipula-tion, tu me dois ni plusse ni moins que la très fan-tastique somme de...

Beauregard

(*Mettant la main sur la calculette.*) Entre nous deux, c'est l'amour, pas les chiffres, qui doit compter.

Roma

(*Il tente de l'attirer vers lui.*) Essaie pas d'avoir d'escompte avec moi: ça marche pus, tes belles paroles!

Beauregard

(*Insistant.*) C'est pas les miennes que je veux te faire entendre, c'est celles d'un grand poète.

Roma

Ça va me coûter combien encore de la ligne seulement pour l'écouter, ton grand poète?

Beauregard

La poésie a rien à voir avec un hameçon, encore moins avec une ligne! (*En aparté.*) À moins que cette ligne-là se sniffe, toutes narines ouvertes! (*À Roma.*) La poésie, c'est ben trop beau pour qu'on rise d'elle. Écoute voir. (*Il lui a pris les mains, s'éloigne un peu d'elle et, déclamant, mimique à l'appui.*) Mon amour me sert de feu, mon cœur me sert de fourneau, le vent de mes soupirs me sert de véhémence, mon œil me sert d'alambic et la vapeur monte en moi par si grande abondance que ça me coule dans le bas du corps pareil à une fontaine pleine à ras bords de désir!

> À la fin de sa déclamation, il attire Roma vers lui et l'embrasse goulûment.

Beauregard

(*Après avoir embrassé Roma, la pressant contre lui, en aparté.*) Deux, trois mots sans conséquence, juste un peu empoissonnés, pis la bonne femme tombe tu-suite en pâmoison, comme c'qu'y s'passe dans *Ciel mariabe* à tivision! C'est pas payer cher ni sur le capital emprunté ni sur les intérêts. Des femmes de même, ça serait parfait pour siéger à toutes les commissions de crédit que j'assiège! (*Après une dernière caresse, à Roma.*) Ça serait le fun si on s'assoyait toués deux sur un banc pour faire entrer dedans nos corps toutes les étoiles que betôt y va y avoir dedans le ciel. (*Après un grand soupir.*) Mais ça me mettrait en retard pour prendre mon train.

Roma

Ton train? Pourquoi c'est faire que tu dois prendre le train? Pis pour aller où? Pas en Floride toujours pis sans moi contrairement à ce que tu m'as toujours promis que ça se passerait si je te prêtais de l'argent?

Beauregard n'a pas le temps de répondre, à cause de Romaine qui se manifeste: à l'entrée du parc, elle a assisté à la fin des effusions de Beauregard et de Roma, ce qui l'a rendue fort courroucée.

Romaine

(*En venant les rejoindre au milieu de la scène, à Roma.*) J'en aurais mis le feu à ma main! J'étais certaine que cet énergumène-là (*geste non équivoque vers Beauregard*) te courait après juste pour ton argent!

Beauregard

(*En aparté.*) Étant donné que quelqu'un finirait par la pleumer de toute façon, pourquoi pas moi? (*À Romaine.*) Tu te trompes entièrement sur ma relation avec Roma.

Romaine

Je vas d'abord vous dire une chose, monsieur Beauregard Litalien: comme on n'a pas gardé les cochons ensemble pis que ça risque pas de nous arriver de sitôt, restez de votre bord de l'auge pis moi je vais en faire autant du mien.

Beauregard

Quand je vous entends parler de même, j'ai comme dans l'idée que vous avez du mépris pour moi. J'ai comme dans l'idée itou que vous êtes jalouse de Roma. Au fond, vous m'en voulez parce que c'est elle que j'aime pis pas vous.

Romaine

La pluie de vos insultes aussi ben que la pluie de vos désirs que vous prenez pour des réalités, dites-vous ben qu'a l'atteindront jamais le parapluie de mon indifférence!

Beauregard

(*Après lui avoir regardé les seins, en aparté.*) Comme parapluie, j'y en vois deux sur le poitrail qui ont l'air de se tenir plutôt ben dans leurs manches. Dommage que la vieille fille soye si mal empesée pis aussi macho!

Romaine

(*Beauregard s'étant mis à lui regarder encore les seins.*) À part ça, essayez pas de détourner la conversation en posant vos regards lubriques sur moi! Madame Belleau vous traînerait en cour pour ben moins que ça!

Beauregard

Madame Belleau? Ça mange quoi ça en hiver, votre madame Belleau?

Romaine
C'est la plus grande écrivaine du Québec! Sans elle, notre télévision en serait encore à Pépinot pis Capucine!... Aux culs de poule comme Henri Bergeron!... aux *Belles Histoires des pays dans l'eau* de Claude-Henri Grognon!... à *Race de monstres* pis au *Clan Beaulieu*! Du susurrage avec droit de cuissage, rien d'autre!

Beauregard
Votre comparaison est un peu grosse, je trouve. Si vous voulez vraiment savoir ce que je pense de votre madame Belleau...

Romaine
(*L'interrompant.*) Comme vous m'avez l'air de savoir mieux dépenser que penser, on va en rester là pour le moment avec madame Belleau. (*À Roma.*) Toi, réponds plutôt à ma question: combien d'argent t'as prêté à cet éjarré-là depuis qu'y te court après?

Beauregard
J'ai pas eu besoin de courir ben fort, vous saurez. À ce compte-là, même à reculons, j'aurais déjà gagné plusieurs fois le Marathon de Montréal.

Romaine
Vous, je vous ai rien demandé. C'est à ma sœur que je m'adresse. (*À Roma qui s'est éloignée de la fontaine, allant vers elle.*) T'attends quoi pour répondre à la question que je t'ai posée: t'as prêté combien d'argent à cet énergumène-là?

Beauregard

(*Qui intervient tout de suite.*) Combien je peux devoir à Roma, ça n'a absolument plus d'importance maintenant.

Romaine

Je trouve au contraire qu'à compter de tusuite ç'a toute l'importance du monde. (*À Roma.*) Réponds-moi: ça presse!

Beauregard

(*Se mettant entre les deux, à Romaine.*) Si vous commenciez par m'écouter, vous auriez peut-être pus besoin de vous époumoner comme une échappée d'un téléroman de madame Belleau! (*En aparté.*) Plus stuck-up, plus barbante, plus envahissante que ça, t'es présidente à vie de Radio-Québec! (*À Romaine.*) Pour Roma, j'ai pas peur de dire la vérité... même toute nue!

Roma

(*À Beauregard.*) Si t'es pour parler vraiment de nos intimités intimes, j'aime autant le faire moi-même. (*À Romaine.*) Je vas toute t'apprendre.

Beauregard

(*Lui fermant la bouche de sa main.*) Non! Parce que, veut, veut pas, vous allez d'abord écouter ce que j'ai à vous annoncer. (*Sortant la lettre de sa poche.*) Comme vous pouvez voir, ça, c'est une lettre.

Romaine

Je sais reconnaître une lettre d'une circulaire de Provigo! (*Tendant le bras.*) Je vas la lire moi-même: comme ça, on va sauver du temps.

Beauregard

Dans votre coqueron à Bibliothèque nationale, vous écorniflez trop d'ins lettres de vos écrivains morts pis enterrés. Vous en avez pardu le respect qu'on doit avoir pour les choses vivantes. (*Reniflant, s'éloignant un peu.*) Pour dire la vérité, toutefois, y a pus grand-chose qui vit encore chez matante Alice... sauf la fortune qu'a risque de me laisser en héritage si je vas la voir à Trois-Pistoles avant que ses trois verrues lui sarvent de clous pour son carcueil.

Romaine

(*Essayant de mettre la main sur la lettre.*) Un héritage d'une tante Alice? Qui resterait à Trois-Pistoles? Pour qui vous nous prenez? Pour des dindes?

Beauregard

(*En aparté.*) Ça se pourrait ben étant donné que c'est pas la farce qui doit leur manquer sous le poitrail! (*À Romaine.*) Pourquoi j'aurais pas le droit d'hériter de matante Alice que j'aime si tant tellement que, rien que pour son salut éternel, je monterais à genoux les quatre cent quarante-quatre marches qui mènent à l'oratoire Saint-Joseph?

Romaine

Je vous crois pas. Je reste sceptique à mort.

Beauregard

(*Sentencieux.*) Malheureuses seront les sceptiques car elles seront fond tondues. (*Aux deux.*) Au retour de mon voyage à Trois-Pistoles, c'est le sort qui vous attend. Mais à ce moment-là, ça sera peut-être trop tard pour qu'on fasse consensus de notre contentieux. (*Saluant dérisoirement.*) Ainsi soit-elle.

Il sort de scène.

Roma
(*À Romaine.*) Tu vois: tu t'énervais encore pour rien. Une fois que Beauregard va l'avoir, son héritage, y va me rembourser. Y l'a dit aussi clairement que si c'était écrit en bleu sur du beau papier blanc avec en-tête rouge de Revenu Québec.

Romaine
Tu vas quand même pas me dire que t'as cru ça? T'es tellement naïve que des fois je me demande si tu travailles à Revenu Québec ou ben pour les Raëliens, les Témoins de Jéhovah pis l'ordre du Temple solaire en même temps!

Roma
(*Elle va s'asseoir sur un banc, ouvre son gros sac, met une petite nappe sur le banc, dépose dessus plein de victuailles.*) T'es toujours sur mon dos. Depuis que je suis au monde, t'en as jamais débarqué, même pas pour une seule journée. C'est-tu de ma faute à moi si je suis née dix ans après toi? C'est-tu de ma faute à moi si, dans ce temps-là, popa pis moman étaient trop vieux pour jouer à petite bébite qui monte? Toi, t'avais déjà toute pris: t'étais belle, intelligente pis débrouillarde... T'étais quasiment un homme quand t'es venue au monde.

Romaine
Fallait ben que je le soye parce que, greyé comme notre père l'était, c'était pas d'un pantalon qu'y avait besoin mais d'une couche flush-a-by! Un mangeux de balusse qui pendant quarante ans a pas faite autre

chose que de se vider par en dedans! Autrement dit, juste un homme, dégoulinant comme le sont toutes les hommes! Un vrai cancer, oui! Pour être colon, ça l'était!

Roma

Ris pas de la maladie de popa. C'est pas drôle, le cancer du côlon. Popa a souffert beaucoup pis longtemps.

Romaine

(*Dérisoire*.) Si pôpa avait eu un peu de courage, y aurait souffert beaucoup moins pis sacrément moins longtemps! Quand je pense! Ça s'est entêté vingt ans à pas mourir après avoir passé quarante ans à faire des guili-guili au monde tout en restant assis sus le banc des innocents!

Roma

Pourquoi tu m'attaques encore? C'est-tu de ma faute si je ressemble là-dessus à popa pis que de m'assir sur un banc dans le parc, j'aime ça autant que lui? Que c'est que ça peut ben déranger dans ce que t'es?

Romaine

Ça me dérange pas, ça me fatique, c'est pas pareil. Au ministère du Revenu...

Roma

(*L'interrompant*.) Au ministère du Revenu, je travaille là de neuf heures à dix-sept heures, cinq jours par semaine, pis onze mois par année. En dehors de ça, je veux pas en entendre parler du ministère du Revenu. En dehors de ça, je veux juste vivre comme je l'entends. Ça serait temps que tu comprennes au moins ça.

Romaine
(*S'assoyant.*) Comme si je te connaissais pas!

Roma
Tu me connais pas non plus!

Romaine
T'avais douze ans pis tu ressemblais exactement à ce que t'es aujourd'hui: tu passais tes frustrations à manger toutes sortes de cochonneries comme maintenant, de quoi te faire badtriper pis te rendre velléitaire à mort!

Roma
Toi pis tes grands mots de bibliothécaire qui veulent rien dire! Quand est-ce que tu vas arrêter de te prendre pour madame Belleau?

Romaine
Jamais, j'espère! Parce que madame Belleau, c'est un idéal pour nous autres, toutes les femmes! Quand un homme rit d'elle ou ben lui marche dessus le gros orteil juste pour l'écœurer, a niaise pas avec la puck, madame Belleau: une mise en demeure, un procès, pis le problème est vite réglé: les hommes ont plus rien qu'à reprendre leur trou, ce qui est loin de me consterner parce que, dans leur trou, les hommes y resteront jamais assez longtemps, crois-moi! (*Brandissant l'enveloppe qu'elle tient toujours à la main.*) Mais toi-même, t'aurais ben besoin de madame Belleau pour te sortir des mauvais draps entre lesquels tu t'es fourrée avec ton énergumène de Beauregard!

Roma

Je vois vraiment pas le rapport qu'y peut y avoir entre madame Belleau pis Beauregard Litalien! Romaine, tu lis trop de vieux livres morts pis enterrés! Tu confonds la vie pis les téléromans!

Romaine

(*Haussant les épaules, tirant un document de l'enveloppe.*) Toi qui aimes tant les chiffres...

Roma

(*L'interrompant.*) C'est pas parce que je les aime, c'est parce que le monde pourrait pas exister sans eux! Les chiffres, ça trompe jamais parce que ça dit juste ce que ça doit dire. Les chiffres, c'est ça la vraie poésie!

Romaine

Dans ce cas-là, ton Beauregard Litalien est un meilleur poète que Gaston Miron, Gilles Vigneault pis Lucien Francœur ensemble! Sa poésie, ça prend au moins six chiffres pour en faire le tour. C'est pus seulement un poème, c'est *Crimes et Châtiments* au complet!

Roma

(*Elle s'est levée et va vers Romaine.*) Montre voir!

Romaine

(*Faisant en sorte que Roma ne puisse se saisir des feuilles qu'elle tient à la main, se redressant.*) Non! (*Joignant le geste à la parole.*) Toi, tu t'assieds là pis tu fais rien d'autre que m'écouter!

Roma

Ça représentera pas un gros change dans ma vie: tu me laisses jamais faire autre chose... m'assir pis t'écouter!

Romaine

Le dos dret pis les oreilles molles, Roma! C'est toute ce que je te demande pour le moment!

Roma

Je devine déjà que tu vas me faire mal. Pis tu sais ce qui arrive tout le temps quand tu me fais mal!

Romaine

(*Roma croquant dans un sandwich.*) Dans ce temps-là, tu manges, je le sais!

Roma

Madame Belleau...

Romaine

Prends pas en vain le nom de madame Belleau! Tous ceux qui le font en perdent le goût de mastiquer pour longtemps. Ça fait que mange si tu veux, mais ferme-la pour deux minutes pis écoute-moi! (*Elle va lire ce qui suit après s'être raclé la gorge et, à chacun des mouvements du texte, changer de place, de manière à visiter les quatre coins de la scène.*) Beauregard Litalien, appelé aussi le grand Rioux à Babiche, le grand Rioux Pochard, le grand Rioux Renard et le grand Rioux Pichlotte, ci-devant né dans la paroisse Notre-Dame-des-Neiges de Trois-Pistoles le 2 septembre 1945 sous le signe de la Vierge...

Roma

(*L'interrompant, entre deux bouchées.*) Je suis Taureau. Vierge pis Taureau, ça fitte ben ensemble pour les voyages astraux.

Romaine

Désastraux, tu veux dire! Parce qu'avec la suite qui s'en vient, même Taureau pis la bouche pleine, tu vas comprendre sans même avoir besoin d'une carte, pis surtout pas celle de Jojo Savard, l'éjarrée de la Voie lactée! (*Allant au deuxième coin, lisant.*) Devenu orphelin en bas âge, Beauregard Litalien a été élevé par une vieille tante compatissante...

Roma

J'étais sûre que dans le fond Beauregard a un bon fond! Une vieille tante compatissante, sans doute pétrie comme un pain de ménage...

Romaine

Un pain-fesses conviendrait mieux parce que ton Beauregard Litalien a essayé de taponner celles de sa tante Alice, avec le résultat qu'y s'est fait mettre (*parce qu'elle tourne la page*)... s'est fait mettre dehors, pis virer cul par-dessus tête à part de ça!

Roma

Je crois rien de ce que tu dis!

Romaine

J'ai toute fait vérifier par la SQ pis c'était pas en mangeant des beignes dans un Dunkin Donuts, crois-moi! (*Allant au troisième coin.*) Mais le meilleur reste encore à venir puisque ton Beauregard Litalien a pas faite meilleure figure à Montréal que chez sa vieille tante de Trois-Pistoles. On l'a arrêté je sais pus combien de fois pour tentative d'extorsion, usage de faux, fraude bancaire, contrebande de cigarettes à plumes pis de bagossage pour robineux! (*Regardant Roma.*) Tu veux que je continue ou ben si ça te suffit?

Roma

(*Fouillant dans son sac, en retirant d'autres victuailles.*) J'ai jamais eu aussi faim de toute ma vie! Même pas quand popa est mort!

Romaine

(*Allant vers le quatrième coin.*) Dans ce cas-là, tu me laisses pas le choix: faut que je rende dans ses grosseurs...

Roma

(*Comme un cri du cœur.*) T'en manques jamais une quand y s'agit de me faire de la peine!

Romaine

En plusse d'être velléitaire à mort, te v'là rendue paranoïaque comme ça se peut pas. Quand on les prononce, les mots *grosseur, boulimie, bourrelet, obésité, corpulence* pis même *patapouf*, ça s'applique pas nécessairement à toi!

Roma

Pas à moi nécessairement, mais à moi si nécessaire! (*Se remettant à manger.*) Fatique-toi pas: j'ai compris. Tu peux donc continuer.

Romaine

(*Après s'être raclé la gorge.*) Le dernier coup d'éclat de ton illustre Beauregard Litalien, alias le grand

Rioux à Babiche, le grand Rioux Pochard, le grand Rioux Renard pis le grand Rioux Pichlotte, sais-tu ce que ça a été? Écoute-moi ben ça. On l'a traîné devant les tribunaux pour détournement de fonds pis c'était loin d'être mineur étant donné que la fille impliquée là-dedans l'était, elle, mineure! Pour faire ça, ça prend du nerf complètement tordu pis pas à peu près! (*Roma s'étant mise à sangloter, allant vers elle.*) Tu vas quand même pas te mettre à brailler à cause d'un exploiteur pareil! Ça serait vraiment le comble!

Roma

C'est à cause de toi que je braille, pas pour ce que tu m'as dit de Beauregard. Quand tu lisais, ça paraissait que t'étais contente de me faire du mal, comme quand on restait toués deux à maison. Popa était malade pis toi...

Romaine

(*L'interrompant.*) Tu vas pas encore revenir là-dessus! (*Dérisoirement, autoritaire.*) Pôpa est mort, ben enterré, pis nous deux, on vit pus à maison!

Roma

C'est quand même pareil comme avant! Dès qu'un chum venait à maison pour me voir, y avait pas le temps d'entrer dans le salon que j'existais déjà pus pour lui. Y faisait plus rien que de te sucer des yeux pis moi, je me retrouvais toute seule devant mes crottes de fromage, mon sucre à crème Taillefer pis mes carrés aux dattes de chez Ouipette Viau! Mon cœur rapetissait dans même proportion que mon corps prenait de l'expansion!

Romaine

C'est ben la preuve que ces chums-là étaient pas faites pour toi! En paraissant m'intéresser à eux, mon intention, c'était juste de t'en débarrasser pour pas que toute ton cœur passe dans ton corps, de quoi te retrouver sans atout sur le carreau comme une deux de pique!

Roma

Que je soye devenue grosse, ça faisait ton affaire!

Romaine

Jamais de la vie! (*Elle s'assoit sur le banc à côté de Roma.*) T'étais pas grosse dans ce temps-là pis tu l'es pas davantage aujourd'hui. T'es peut-être un brin costaude, plutôt forte des hanches, avec des seins sans doute un peu... un peu excessifs... mais ça s'opère comme je te l'ai déjà dit.

Roma

Si tu penses que j'accepterais de me faire charcuter, surtout après le scandale qu'on vient de connaître avec les implants mammaires!

Romaine

Dans ta situation, c'est pas d'implants mammaires que t'as besoin, mais qu'on te les dégraisse un brin.

Roma

Tu vois: t'essaies encore de me diminuer!

Romaine

C'est pas toi que je veux diminuer, c'est tes seins. Comme tu vois, c'est pour la bonne cause. C'est comme pour les livres que je te demande de lire. (*Prenant ceux que Roma a mis sur le banc.*) T'as retenu quoi de ceux que je t'ai prêtés hier?

Roma
C'est pas le moment, je trouve, pour parler de ça.

Romaine
(*Autoritaire.*) Deboute, pis plus vite que ça! Moi, je te prête des livres, toi t'es lis pis toutes les soirs, tu m'en fais le compte-rendu! Y a aucune raison à soir pour qu'on procède autrement! Ça fait que exécute-toi donc! (*Geste à l'appui.*) Deboute, Roma! Deboute! (*Roma se levant, l'air d'une petite fille se retrouvant à la petite école.*) T'as retenu quoi des livres que je t'ai prêtés hier?

Roma
(*Récitant.*) J'ai retenu que l'homme c'est une panse qui pense!... J'ai retenu que ce qui manque aux hommes, c'est pourtant c'qu'y ont le plusse, c'est-à-dire les yeux, les oreilles pis le cul!... J'ai retenu qu'au zoo toutes les bêtes ont une tenue décente, sauf les singes, ce qui est ben la preuve que l'homme est pas loin d'eux autres!... J'ai retenu que, grâce au progrès technique, on peut aujourd'hui reproduire la race humaine sans l'aide des hommes pis créer uniquement des femmes, le mâle devant être considéré comme un accident biologique!... J'ai retenu qu'en d'autres termes l'homme est rien d'autre qu'une femme manquée, une fausse couche ambulante, un avorton congénital avec aucune sensualité pis aucun humour dans sa façon de s'envoyer en l'air!... Mais j'ai surtout retenu que le salut, pour l'homme, ça serait de devenir

travesti pis de se faire couper l'affreuse queue qui trop souvent lui sert de tête!

Romaine
(*Se levant, applaudissant, puis embrassant Roma.*) Je suis fière de toi. T'as faite des progrès... des progrès...

Roma
(*L'interrompant.*) Des progrès aussi gros que moi! Dis-le donc que c'est ce que tu penses!

Romaine
Je pense pas ça pantoute: je suis ben trop fière de toi. (*Elle l'embrasse encore.*) Avec toute ce que t'as appris, ton Beauregard Litalien est maintenant pas mieux que mort! Son affaire est pour ainsi dire dans le tiguidou ketchup! Y va te rembourser de toute ce qu'y te doit pis ben davantage!

Roma
Si Beauregard a pas d'argent, je me demande ben comment.

Romaine
Penses-tu que madame Belleau se poserait une question pareille? Avec un bon avocat...

Roma
Un avocat?

Romaine
Grâce à madame Belleau, j'ai rendez-vous à Bibliothèque nationale avec le meilleur procureur qu'on puisse trouver dans Montréal, P.Q.! Viens avec moi: on va maintenant aller le rencontrer.

Roma

Je peux pas. Tu m'as faite tellement lire ces derniers temps que j'ai pris du retard dans mon travail à Revenu Québec. J'ai des dossiers importants à mettre à jour.

Romaine

Des dossiers d'hommes, j'espère ben?

Roma

Je sais pas, c'est des sociétés à numéros.

Romaine

Des numéros, penses-tu que les hommes pourraient désormais être autre chose?

Roma

Je suis pas rendu aussi loin que toi dans mes lectures.

Romaine

Je vas t'en fournir d'autres, crains pas! Dès que j'ai parlé à l'avocat de madame Belleau pis que t'en as fini avec tes dossiers à numéros à Revenu Québec, on se retrouve icitte pour régler définitivement son cas à ton Beauregard Litalien. (*Elle l'embrasse encore.*) Je suis fière de toi, vraiment très fière de toi!

> *Les deux sortent, chacune de son côté de la scène, pour aller reprendre leur place dans leurs bureaux de Revenu Québec et de la Bibliothèque nationale. Dès qu'elles sont sorties de scène, Beauregard Litalien y entre, porteur d'une petite valise. Il va vers l'un des bancs et s'y assoit. Comme il a chaud, il sort un mouchoir de sa poche et s'éponge le*

visage. Puis, il sort aussi de sa poche un petit dix onces d'alcool qu'il décapsule avant de boire. Puis, il s'éponge encore le visage. Pendant ce temps, Roma s'est mise à travailler avec grande application à son bureau de Revenu Québec. Romaine n'est pas sitôt assise à son bureau que madame Belleau y entre. Madame Belleau est toute travestie de lingerie et de maquillage. Son visage, ses mains et ses jambes sont peints comme on fait aux poupées de porcelaine. Madame Belleau porte aussi une impressionnante perruque. Ses lèvres sont pulpeuses et fort rouges. Dès que madame Belleau entre dans son bureau, Romaine se lève.

Romaine

Madame Belleau! je pensais que c'était votre avocat que je devais voir! Pas vous personnellement dans toute votre imposante personnalité!

Madame Belleau

Votre téléphone à propos de la mauvaise aventure qui arrive à votre sœur m'a tellement choquée, scandalisée, bouleversée et zémue que j'ai préféré venir moi-même vous voir. (*Regardant les affichettes.*) À part ça, j'aurais pas mal de manuscrits à vendre à Bibliothèque nationale! Depuis le temps que ça s'écrit pis que ça se crie dessus le clavier de mon ordinateur! Y serait urgent que la Bibliothèque fasse le même cheminement que le peuple: y est peut-être petit, le peuple, mais y a su reconnaître en moi la femme fondatrice du Québec nouveau, ce qui a rien à voir, comme vous savez, avec le Québérac insipide que boivent nos Yvettes provinciales! (*Cessant de regarder les affichettes.*) D'après ce que je vois ici, les

femmes sont encore une fois laissées entre les lignes!
Peut-être que si je faisais là-dessus un procès à Bibliothèque nationale...

Romaine

Ça serait une bonne idée, c'est sûr, sûr, sûr mais, en
attendant, si on se contentait de parler du problème
que vit ma sœur... Vous pensez pas?

Madame Belleau

Moi, penser? Comme si ça suffisait pas que j'écrive
autant! Mais d'abord, faut que je règle le problème
de ma Cadillac.

Romaine

Votre Cadillac?

Madame Belleau

Je viens tout juste de l'acheter. Vous savez, un procès
ben mené, ça rapporte presque autant qu'un téléroman à Télé-Nécropole. Mais avant d'en parler,
vous pis moi, j'ai un problème de parking à régler.

Romaine

Un problème de parking?

Madame Belleau

Partout où je vas, j'ai droit à une place gratuite de
stationnement, sauf ici, ben sûr, dans cette Bibliothèque nationale qui achète les manuscrits de tout le
monde, sauf les miens, pis ça parce que je suis une
femme écrivaine, ben évidemment! Si y a pas là po-
tentiel à un procès exemplaire, c'est que je comprends pus rien à l'écriture!

Romaine

Si on allait en parler au directeur?

Madame Belleau

Avant que j'en fasse une affaire d'escalier à Claire Lamarche, ça vaudrait mieux! Après ça, on discutera du cas de votre sœur. Quand je pense! Se laisser enfirouâper par un macho comme Beauregard Litalien!

Romaine

Comment vous savez ça?

Madame Belleau

Je suis la plus grande téléromancière anti-macho du Québec. Ça signifie que j'ai autant d'intuition et d'induction que j'écris vite! Mais là, réglons d'abord le cas du parking de ma Cadillac! Où c'est qu'il est, votre directeur, sans doute à petites couilles?

Romaine

Je vas vous montrer son bureau. Vous avez qu'à me suivre!

Madame Belleau

Moi, vous suivre? (*Prenant les devants.*) C'est les autres que je précède. Autrement dit, moi, je vas toujours devant, comme Mère Courage!

> *Elle sort de scène, suivie par Romaine. Beauregard a bu une dernière gorgée d'alcool et s'éponge une dernière fois le front. Il prend son cellulaire.*

Beauregard

Assez perdu de temps comme ça. Passons maintenant aux choses sérieuses. (*Composant un numéro.*)

C'est pas le pain sur la planche qui manque. Voyons voir.

Le téléphone sonnant au bureau de Revenu Québec, Roma répond.

Roma
Revenu Québec veut votre bien, bonsoir.

Beauregard
T'es travaillante rare pour une fonctionnaire! Comment ça va, ma belle Roma?

Roma
Déflationniste comme l'indice du coût de la vie mais inflationniste comme les taux d'imposition du gouvernement. Comme c'est sans intérêt pour toi, pourquoi tu m'appelles? Pis pourquoi tu m'appelles de Trois-Pistoles?

Beauregard
Je suis déjà revenu à Montréal. J'ai juste faite un aller-retour à Trois-Pistoles, mais crois-moi: ça valait la peine de revoir au moins une dernière fois matante Alice. (*En aparté.*) Faut dire que je m'étais préparé en conséquence: j'avais mis des dents de vampire pour entrer dans sa chambre, avec des grosses babines de nègre, assez sanguinolentes pis fluorescentes pour donner la syncope au dieu du vaudou lui-même! Ça a marché au-delà de toutes mes espérances: la vieille intubée s'est redressée comme un ressort dans son lite pis, au lieu du cri primal, a m'a poussé un *simonaque de gonnebitche!* qui était rien de moins que terminal! Après ça, matante Alice a été juste bonne à être

ramassée à petite cuiller. On aurait même pu couper son cercueil en deux tellement avait refoulé de partout. Je l'ai faite enterrer le ventre en bas pour être certain que, si ça repousse un jour, ben que ça soye pas par en haut!

Roma

C'est plein de grésillement sur la ligne: j'entends rien de ce que tu me racontes. Comment ça s'est-ti donc passé avec ta tante Alice?

Beauregard

Y s'est rien passé: a juste trépassé!

Roma

Ça veut-ti dire que t'as hérité?

Beauregard

(*En aparté.*) Je suis quand même pas pour lui dire que la maison pis les bâtiments, ça vaut pas tripette, que c'est rien qu'un ramassis de cossins! Je me suis empressé de vendre cette chibagne-là à femme-cheval de Trois-Pistoles. Ben oui: y ont une femme-cheval à Trois-Pistoles! Une bête ben curieuse, attelée à une barouette pis qui passait son temps à me dire: «Excuse-moi mais j'ai perdu la tête! Excuse-moi parce que, si je suis pas grosse, j'ai du nerf en bogué toasté des deux bords!» Du nerf, je lui ai montré que je pouvais en avoir, moi itou. Quand la femme-cheval est rentrée dans son bric-à-brac, je lui avais pas mal dégarni le portefeuille, croyez-moi! Le problème, c'est que j'ai pas pu toucher à une vieille cenne noire. Mon portefeuille rempli par la femme-cheval est allé directement sur le bureau de la notairesse de Trois-Pistoles, à cause du testament faite il y a trente ans par ma vieille ostifique de matante!

Roma
(*Elle joue avec le téléphone.*) Que c'est que t'as dit pour ta tante? Ça buzze sans bon sens sur ma ligne, à croire que Claude Morin a repris du service pour la Gendarmerie royale!

Beauregard
(*En aparté.*) Y a trente ans, j'avais à peine l'âge de raison pis matante Alice voulait déjà que je me marie! (*Il a ouvert la petite valise et en a sorti un document qu'il exhibe.*) A l'a faite inscrire en toutes lettres dans son testament, la vieille capotée! (*Imitant la voix fêlée de la tante Alice.*) «Je soussigné, Alice Rioux dit la Babiche, promets de faire de mon neveu Beauregard mon légataire universel en autant qu'il se marisse, pas juste pour faire trempette de son pinceau, mais pour cultiver les terres que je possède dans le deuxième rang. Mon neveu Beauregard rentrera en possession de son héritage quand ma notairesse aura confirmation de son entrée officielle dans le sacrement du mariage!» (*Remettant le document dans la petite valise qu'il referme.*) Moi, me marier! Ça serait ben suffisant pour qu'un sacrement pareil me mette en beau ciboire!

Roma
Je me demande si je t'ai ben compris, là? Tu veux te marier? Tu veux vraiment te marier?

Beauregard
Ça serait mieux que j'aille te voir au bureau pour t'expliquer toute ça. (*Regardant vers le bureau de*

Roma à Revenu Québec.) S'y faut que je me sacrifie pis que je me pile sur le corps, je vas le faire. Roma sera sûrement pas la mère à boire, mais avec la clé que je vas lui mettre dans le dos, toute Trois-Pistoles-les-Bains va comprendre que l'ère de la robotique, on est déjà à plein pied dedans! (*À Roma.*) Le temps de traverser le parc pis j'arrive. En attendant, fais-toi belle pour ton prince. (*En aparté.*) Aussi ben demander à une garnouille de se métamorphoser en Marilyn... la Marilyn Monroe, ben sûr, pas la bellâtre pis la belluaire Belleau! (*Se levant.*) À l'attaque maintenant!

Il sort de scène pour se rendre au bureau de Revenu Québec. Romaine et madame Belleau, qui porte un gros porte-documents sous le bras, arrivent dans le petit parc quand Beauregard le quitte.

Romaine

(*Tenant le bras de madame Belleau et la conduisant vers l'un des bancs.*) Faut que je vous redise quelle surprise ça a été pour moi quand je vous ai vue entrer dans mon bureau à Bibliothèque. Je m'attendais tellement à parlementer avec votre avocat, pas avec vous-même dans toute votre imposante personnalité, que j'ai ben failli en perdre la tête pis devenir aussi boulimique que ma sœur!

Madame Belleau

Je commençais à vous trouver plaisante. Arrangez-vous pas pour que je me mette à le regretter déjà. (*Allant vers le banc.*) Faut que je m'assise: j'ai les jambes mortes, aussi mortes que mon inspiration.

Roma

(*Avant que madame Belleau ne s'assoie, elle essuie le banc à l'aide d'un mouchoir.*) Icitte, vous serez ben plusse confortable pour attendre. (*Imitant madame Belleau et s'assoyant à son tour.*) Vous aurez pas longtemps à patienter avant de voir ma sœur: toute ce que Roma fait ben, c'est de toujours arriver à l'heure, comme les commerciaux dans vos feuilletons! Pour votre Cadillac, faites-vous pus de mauvais sang pour elle non plus: comme est parquée par faveur spéciale dans l'espace réservé au directeur de la Bibliothèque, vous aurez pas de ticket, c'est certain. (*Madame Belleau ayant ouvert son porte-documents, faisant apparaître un miniordinateur sur lequel elle se met à taper furieusement.*) C'est de toute beauté de vous voir aller de même. Une heure de télévision, ça doit s'écrire pas mal vite avec vous! (*Regardant le miniordinateur.*) Ah! vous avez même intégré à votre ordinateur un dictionnaire des synonymes pis un dictionnaire de toutes les adjectifs pis de toutes les adverbes qu'on peut trouver dans le monde! C'est du *modern*, ça, madame Belleau! (*Madame Belleau se tournant vers elle, lui faisant de gros yeux.*) Excusez-moi, j'étais en train de me prendre pour Roma pis de perdre une autre fois la tête. Je sais ben qu'on doit pas vous déranger quand vous écrivez: c'est pas bon pour la ligne. (*Devant la réaction de madame Belleau.*) Excusez-moi: en attendant que Roma arrive, je vas me contenter d'ouvrir mon livre pis de lire très silencieusement.

Ce qu'elle fait alors que madame Belleau continue de taper toujours aussi furieusement sur son miniordinateur. Pendant que toute cette scène s'est passée, Beauregard, utilisant ses talents de pantomime, a cherché à séduire Roma. Quand il essaie de l'embrasser, Roma se dégage.

Roma
Pas question! Icitte, on est à Revenu Québec, pas dans *Ciel mariabe*! À part ça, tu fais juste me mentir comme toutes les fois que t'ouvres la bouche!

Beauregard
Avant que j'aille à Trois-Pistoles, j'admets que j'ai pas toujours été loyal avec toi. Mais quand j'ai vu ma vieille matante Alice pis le mal de chien que toute sa vie a s'est donné pour me laisser un héritage, ça m'a comme qui dirait ouvert les yeux en grand.

Roma
(*Parce qu'il essaie toujours de la peloter.*) Y a pas juste les yeux que ça t'a ouverts, je pense ben!

Beauregard
C'est toujours à cause de mon héritage. Maintenant, je suis plusse conscient de l'invisible, je suis plusse conscient de l'infini... Je suis devenu un homme, un vrai! Je veux me marier, je veux avoir des enfants pis les regarder grandir ailleurs que dans le centre-ville dévasté de Montréal, entre trois robineux, quatre sidéens pis un maire qui ressemble trop à une vieille boîte à fleurs pour que ça sente vraiment bon! (*Après une grande respiration.*) Non! J'ai vraiment bouclé la bouque! Astheure, je veux vivre dans le plein air, ce qui est ben meilleur pour la santé que le plein emploi! Autrement dit, je lâche la mécanique de la ville, je lâche son arbre à came, je lâche toutes ses pistons pour la pistole, sainte et saine!

Roma

T'as jamais travaillé de ta vie!

Beauregard

Raison de plusse pour que je commence à le faire! Dans le deuxième rang à Trois-Pistoles, je vas avoir des canards, des poules...

Roma

Des poules!... Me semblait ben aussi!

Beauregard

Je parle des poules qu'on fait pondre, pas de celles qu'on fait fondre pis morfondre! Mais comme je mettrai pas toutes mes œufs dans le même panier, je vas avoir des veaux pis des vaches itou!

Roma

Des vaches? C'est gros ça, des vaches! Comment tu pourrais en prendre soin quand tu connais même pas ça?

Beauregard

(*En aparté.*) Moi, pas connaître les vaches! C'est pas parce qu'à Montréal y leur manque une paire de pattes qu'a sont moins grosses pis moins ruminantes pour autant! (*À Roma.*) Toute ça, c'est rien que des détails parce que le fin fond de l'affaire est autrement plus simple: grâce à matante Alice, je vas changer carrément de vie. (*S'enflammant.*) Fini le bizounage aléatoire dans le Grand Montréal! Finie la promiscuité avec les mangeurs de macaronis, les faiseurs de souvlakis, les abonnés de la robine pis de l'itinérance! Désormais, je vas être un autre moi-même pour moi-même!

Roma

Tant qu'à être parti sur ce train-là pour la gloire, tu devrais demander une job comme directeur des programmes à Radio-Cadenas! Ça ferait des feuilletons autrement plus capotés que ceux qu'on a présentement, pis qui nous donnent des démangeaisons tellement ça gratte dans le fond du panier mélodramatique!

Beauregard

Je vois pas pourquoi tu me parles de Radio-Cadenas pis de sa cure d'amaigrissement quand moi, je te raconte que c'est une nouvelle vie que j'entreprends... avec toi! Imagine seulement que, toi pis moi, on se promène dans nos bras dessus dessous au milieu de nos champs toutes fleuris, avec une ribambelle d'enfants pis de bêtes nous entourant! Imagine comme ça doit être beau d'avoir toute l'immensité du fleuve juste pour soi! Imagine...

Roma

(*L'interrompant.*) J'imagine surtout qu'une vie pareille doit coûter une fortune.

Beauregard

Pas tant que ça! C'est certain qu'y va falloir retaper la maison, déboiser un peu à cause de la fardoche pis du repoussis, pis acheter de la machinerie agricole, quéques bêtes à viande pis ce qu'y faut pour les nourrir. C'est rien comparé à l'héritage que matante Alice me laisse. (*Devant elle.*) Tu peux pas refuser ma proposition, tu peux pas refuser de te marier avec moi. C'est le bonheur que je t'offre... rien de moins que le bonheur.

Roma

En autant, ben sûr, que je finance les opérations, c'est ça?

Beauregard

(*En aparté.*) Sinon, pourquoi pensez-vous que j'insisterais autant? C'est sûrement pas pour une paire d'yeux aussi bovins pis un ventre pareil, de quoi avoir trop d'ombre en été pis trop de chaleur même dans le plein de l'hiver! (*À Roma.*) Dès que je me suis retrouvé à Trois-Pistoles, ça m'a frappé comme une balle d'AK-47 en plein front: pour qu'un homme comme moi accomplisse son grand rêve, ça me prend une femme comme toi, comptable de son corps, de ses gestes pis de sa gestion. Imagine encore si, en plusse, nos enfants devaient avoir ta beauté pis mon intelligence! Ça serait le bonheur total, c'est certain! Dis-moi pas que t'en es pas déjà certaine.

Roma

Je le serais peut-être si t'éludais pas tout le temps la question d'argent entre toi pis moi.

Beauregard

J'y arrivais justement. On se marie, on passe contrat devant notaire, je t'avantage pour toute l'argent que je te dois, pis, en plusse, t'es pour cinquante-cinquante dans les profits qu'on va réaliser.

Roma

Ma sœur là-dedans?

Beauregard

A t'a toujours monté sur le dos. De rester loin d'elle pour un boute de temps, tu devrais pas t'en plaindre.

Roma

Romaine pis moi, on se chicane, c'est certain, mais on pourrait pas vivre l'une sans l'autre.

Beauregard

(*En aparté.*) Ça devrait pas être plusse compliqué d'en pleumer deux qu'une seule! Suffit de savoir s'y mettre! (*À Roma.*) Si ta sœur désire se joindre à nous autres j'ai pas d'objection: juste en face de la maison de ma-tante Alice, y en a une autre, qui servait d'école avant. Je suis prête à lui laisser cette cabane-là pour presque rien.

Roma

Pour presque rien, ça serait pas suffisant pour Ro-maine. Faudrait que ça soit complètement pour rien.

Beauregard

(*En aparté.*) Tant qu'à y être, pourquoi pas un chausson avec ça? (*À Roma.*) Mettons que j'accepte pour Romaine. Mais toi-même, que tu te marisses avec moi ou pas, faudrait que je le sache main-tenant.

Roma

Ferme d'abord les yeux. Après, tu vas savoir.

Beauregard

Ça serait peut-être mieux qu'on aille voir ta sœur avant.

Roma

Ferme les yeux, que je te dis! (*Lui le faisant, en aparté.*) S'y pense que je suis dupe, y s'est déjà mis un doigt dans l'œil pis jusqu'au coude! Mais comme ça va être à mon tour d'en profiter, j'entends ben déjà me faire payer les intérêts qui me sont dus. Pour le capital, je l'entamerai tusuite après, pas de crainte là-dessus!

Elle embrasse férocement Beauregard qui se débat, voudrait fuir mais ne le peut. Les deux finissent par tomber par terre, Roma recouvrant le corps de Beauregard du sien et mimant une fornication aussi féroce que son baiser. C'est le moment que choisit madame Belleau pour cesser de taper sur son mini-ordinateur dont elle rabaisse rageusement le couvercle. Romaine, qui sommeillait, fait un grand saut sur son banc.

Romaine

Madame Belleau, vous avez failli me faire faire une syncope! (*Les épaules de madame Belleau tressautant.*) Vous travaillez tellement que je comprends que les nerfs vous abandonnent toute seule avec votre moi-même. Tant de tension juste pour mettre en valeur d'infâmes commerciaux conçus par des hommes pour des hommes! À votre place, moi, je deviendrais comme le Parti Rhinocéros dans un référendum de porcelaine: je sauterais à pieds joints là-dessus pis c'est pus le clan Fournier qui nous piquerait la dame de cœur, croyez-moi! (*Madame Belleau pleurant à chaudes larmes, les mains dans son visage.*) Je sais ben que là, toutes vos images sont brouillées, mais laissez-moi quand même vous dire que vous avez toute ma sympathie pis toute ma solidité! (*Lui tapotant l'épaule.*) C'est quoi donc, le titre de votre prochain téléroman?

Madame Belleau

J'avais pensé à *Rue des Niochons*, mais ça fait un peu vieux jeu!... J'avais pensé à *Cap aux Sorcières*, mais l'autobiographie, c'est pas mon fort. Je pourrais toujours me raccrocher à quéque chose comme *Les Héritières du mal*, mais ça serait trop cher pour Radio-Cadenas. (*Soupirant.*) Autrement dit, c'est pas demain que je vas atteindre le point G de la création!

Roma et Beauregard enlacés arrivent alors dans le petit parc en se bécotant.

Romaine

(*Se levant dès qu'elle les voit, à Roma.*) Ce que je vois, j'espère que c'est un mirage, rien d'autre!

Roma

C'est pas un mirage, c'est un miracle! Je me défroque de Revenu Québec, je me marie avec Beauregard, je m'en vas vivre avec lui à Trois-Pistoles, je vas comptabiliser des moutons, des veaux pis des vaches plutôt que des arriérages d'impôt! Ça va être le bonheur, Romaine... le bonheur total!

Romaine

Le bonheur total? (*Au public.*) Excusez-la: Roma a sûrement perdu le peu de tête qui lui restait! Pensez donc: le bonheur total!

Quand elle se tourne vers madame Belleau, celle-ci est sortie de sa prostration, s'est redressée, faisant glisser par terre le miniordinateur qu'elle tenait sur ses genoux. Ceux-ci lui plient, d'ailleurs, et madame Belleau tombe dessus, levant les yeux et les bras au ciel tandis qu'une lumière toute céleste et zigzagante comme l'éclair descend sur elle dans un grand bruit de tonnerre.

Madame Belleau

Le Bonheur total!... Quel beau titre pour mon télé-roman!... Pis dire que ça s'est trouvé sans même que j'aie eu besoin du moindre petit procès pour y arriver! (*Se saisissant de son ordinateur, le pressant contre elle.*) Mon plus grand succès de téléromancerie! Mon triomphe à Télé-Nécropole! Le bonheur... le bonheur... le bonheur rien de moins que total!

Elle tombe sur son ordinateur, dans un grand spasme orgasmique.

RIDEAU

Deuxième acte

Le bureau de Revenu Québec a laissé la place à une petite maison de ferme fort bancale et pour ainsi dire en reconstruction tant elle ressemble à une courtepointe que les mites auraient fait leur nid dedans; de l'autre côté, la petite salle de la Bibliothèque nationale s'est transformée en une école de rang toute délabrée. Entre l'école et la maison, un semblant de parterre au milieu duquel est attaché un petit mouton à un piquet. Quand l'éclairage nous fait voir la levée d'un matin tout guilleret, madame Belleau, déguisée en employé de ferme, moppe les dalles du parterre.

Madame Belleau

(*Au public.*) Si les grands boss de Télé-Nécropole me voyaient en train de faire ce que je fais, y demanderaient sûrement ma rentrée d'urgence à Radio-Cadenas! Moi, madame Belleau, pelleter du fumier au lieu des nuages mélodramatiques, ça ferait ben la première page d'*Écho-Crevettes* si ça se savait autant que ça se sent! (*S'appuyant à la moppe.*) Mais qui veut la fin, même si c'est juste pour la manger, prend les moyens dans ses conséquences. Faut dire que, pour mon téléroman, j'ai déjà un an d'avance dans mon écriture par rapport à la diffusion. J'ai écrit ça en même pas trois mois et ça aurait été la queue sua fesse si j'en avais une. En même temps, j'ai canné trois grandes séries d'entretiens télévisés, j'ai animé six colloques internationaux pis, pour le *Livre des* records *Guinness*, j'ai tapé *La Légende des siècles* plus rapidement que Victor Hugo a mis de temps pour l'écrire. (*S'appuyant davantage sur sa moppe.*) Mais autant de travail m'a fatigué les mossels pas mal. C'est pour ça que je suis venue me déposer à campagne, question de mieux me reposer. En fait, y m'aurait fallu un bon procès pour que l'adrénaline me lâche pas et m'inspire la suite de mon feuilleton. *Le Bonheur total*, c'est peut-être un bon titre pour un téléroman, mais ça finit par peser pesant sur la jarnigoine, surtout quand ça doit s'écrire à raison d'une heure par semaine. C'est pas toute d'aspirer: savoir s'inspirer, c'est ben mieux. Mon petit doigt me dit que j'ai ben faite de m'en venir icitte pour quéque temps. (*Regardant le décor.*) En tout cas, c'est pas le ménage à faire qui manque icitte, étant donné qu'y se fait à trois. (*Voyant Roma habillée comme une Quaker qui sort de la maison, un biberon à la main.*) C'est à veille de commencer, je cré ben. Je suis mieux de faire semblant de rien voir pis de mopper. Mopper un texte ou ben mopper un plancher, qui pourrait voir la différence de toute façon?

> *Madame Belleau se met au travail tandis que Roma va vers le petit mouton et veut lui faire téter le biberon. Le petit mouton se montrant rien de moins que pas intéressé, Roma le caresse.*

Roma
Vaudrait mieux pour toi que tu te mettes vraiment à boire! Sinon, t'auras pas assez de laine tantôt sur le dos pour t'isoler du soleil! (*Regardant vers le ciel.*) On nous en promet un pour aujourd'hui aussi découennant qu'une pointe de charrue. Avale, popa, avale s'il te plaît.

Madame Belleau

(*Au public.*) On se croirait dans *L'Héritage*! Appeler popa son petit mouton! Comme fantasme incestueux, faut le faire! Même que ça me défriserait le poil des jambes si j'en avais!

Roma

(*Au petit mouton.*) Pourquoi t'aimes pas le nom que je t'ai donné? Pourtant, popa aimait ben ça quand je l'appelais de même. (*Elle lui caresse la tête.*) Y avait la tête pleine de vagues, comme toi... Comme toi pis comme Beauregard.

Madame Belleau

(*Au public.*) Cas typique de transfert œdipien. C'est tellement usé qu'on ose même plus en parler à la télévision, sauf à Radio-Québec évidemment!

Roma

(*Toujours au petit mouton.*) Si je te prenais dans mes bras pis qu'on s'assoyait sur un banc, peut-être que ça te donnerait envie de boire enfin. (*Détachant le petit mouton, s'assoyant sur un banc, lui offrant encore le biberon, au public.*) Romaine me chicanerait si elle m'entendait parler toute seule. Mais ça me fait du bien depuis qu'on reste à campagne, ça me fait du grand bien. Me semble que popa est revenu avec nous autres, qu'y s'est jamais chicané avec moman, qu'y a jamais bu de bière pis qu'y souffrira jamais du cancer du côlon. (*Regardant vers la maison.*) C'est grâce à Beauregard si je pense ça maintenant. Je sais ben que je devrais pas par rapport que je me suis pas mariée avec lui pour ça... Je veux dire: pour l'amour...

Madame Belleau

(*Au public.*) Pour la suite de mon téléroman, j'espère ben que non!

Roma

C'est pas pour l'amour que je me suis mariée avec Beauregard: c'est pour la raison.

Madame Belleau

(*Au public.*) Voilà qui est déjà beaucoup mieux.

Roma

Mais la raison, ça m'intéressait plusse quand je travaillais à Revenu Québec. Depuis qu'on se retrouve à Trois-Pistoles, me semble que je peux pus voir les choses comme avant.

Madame Belleau

(*Au public.*) Parce que, avant, a voyait rien. C'est aussi simple que ça!

Roma

Avant, je savais rien des bêtes. Je savais pas le plaisir qu'on peut avoir à les prendre dans ses bras, à les dodicher, à les soigner. Avant, je savais pas qu'on pouvait être autant complice avec eux autres.

Madame Belleau

(*Au public.*) Aussi ben marcher à quatre pattes, avec une feuille de laitue entre les dents pis des graines de tournesol à place des yeux!

Roma

(*Elle se lève, va vers le paysage comme si elle regardait au loin.*) Pis y a la terre aussi. Quand on se retrouve en haut de la montagne, on voit toute l'immensité du fleuve, ça sent bon comme quand popa m'emmenait m'assir dans le petit parc près de notre maison. Maintenant, c'est Beauregard qui m'accompagne. Y a ben changé depuis qu'on vit à Trois-Pistoles. Même que, pour un peu, j'éventrerais le complot que Romaine pis madame Belleau ont ourdi contre lui.

Madame Belleau
(*Alors que Roma se dégage du petit mouton.*) La solidité féministe, ça pousse pas encore sur les terres de roches, gonnebitche non! (*Elle va vers l'école tandis que Romaine en sort, vêtue d'un mince bikini par-dessus lequel elle a passé un long chemisier qui n'est pas boutonné. Romaine tient le récepteur d'un téléphone sans fil à la main.*) Votre sœur qui parle à son pôpa de mouton vient d'en raconter une bonne. Si j'ai ben compris, elle aurait l'intention de mettre Beauregard au courant de notre plan pour le pleumer.

Romaine
Je voudrais ben voir ça, moi! (*Regardant sur la scène.*) Où c'est qu'a l'est, Roma?

Madame Belleau
(*Montrant la direction par où Roma et le mouton ont disparu.*) Sont partis par là.

Romaine
Je me charge d'eux autres. (*Lui présentant le récepteur du téléphone.*) C'est pour vous, le téléphone.

Madame Belleau
(*Prenant le récepteur.*) C'est de la part de qui?

Romaine

Le producteur de votre nouveau feuilleton. D'après ce qu'y avait l'air de dire, vous allez avoir besoin d'une chambre en ville betôt.

Madame Belleau

Sont tellement incompétents que, dès que je suis pus là, les bras leur tombent. (*Montrant le récepteur.*) Comme je risque d'en avoir pour un bon moment à parlementer là-dedans, je vas faire ça de chez vous. Pendant ce temps-là, occupez-vous donc de votre sœur.

Romaine

(*Madame Belleau disparaissant dans l'école.*) Je fais ça tusuite. (*Allant à l'extrémité de la scène, appelant.*) Faut que je te parle, Roma! Ça fait que sors de ta cachette!

Roma

(*Apparaissant sur la scène.*) Je me cachais pas, je me promenais avec mon mouton.

Romaine

(*Romaine allant attacher le petit mouton à son piquet et le caressant.*) C'est pas un enfant que t'as devant toi! C'est juste un petit mouton qui arrête pas de faire des crottes partout!

Roma

(*Se redressant.*) D'avoir un peu de sentiment pour les bêtes, je vois pas pourquoi je m'en priverais. Me semble même que ça cadre plutôt ben avec la campagne!

Romaine

On est pas à campagne: on est en campagne, c'est ben différent!

Roma

Moi, c'est la campagne qui m'intéresse maintenant. Je pensais jamais que j'aimerais ça à ce point-là! Pour un peu, j'en perdrais la tête jusqu'au cou!

Romaine

Y a pourtant vraiment pas de quoi! Regarde au moins le paysage tel qu'y l'est! Des grosses épinettes noires pas ébranchables, des roches qui poussent sacrément plus vite que la semence, des bêtes à viande qui ont même pas assez de gras sur les côtes pour faire un chiard qui soye seulement mangeable! (*Montrant la maison.*) Pis encore, je te parle pas de cette affreuse cabane-là qui est pire qu'un vieux clou crochi!

Roma

Je te ferai remarquer que c'est toi qui l'as rendue de même! Quand on est arrivés à Trois-Pistoles, la maison était loin de ressembler à ce qu'a l'est maintenant. Depuis que t'as faite creuser la cave qui avait pas besoin de l'être...

Romaine

Je te ferai remarquer qu'y en avait pas de cave quand on a migré icitte parce que la maison avait même pus de fondations! La fosse sceptique s'écoulait tout dret dans le puits! Y avait tellement de bactéries là-dedans que les chaudrons se promenaient tout seuls sur le comptoir! Pour que la porte du frigidaire pis les panneaux d'armoire restent fermés, y a fallu que tu les attaches avec des cordes! On aurait pu faire une pente de ski dans cuisine tellement ça penchait toute d'un bord!

Roma

Quelle importance toute ça si Beauregard pis moi, on aimait la maison comme on l'a trouvée?

Romaine

Je pensais que tes séances d'apitoiement, t'es avais laissées à Montréal!

Roma

Pourquoi je ferais ça quand, toi-même, t'as rien changé dans ta vie? Tu bosses comme avant pis, comme avant aussi, t'arrêtes pas de me grimper sur le dos! Un peu plusse pis je croirais que t'es encore plusse méchante que quand popa vivait!

Romaine

On en revient aux mêmes sornettes toués jours! Comme j'en ai au rasibus du cou de les entendre, y est grand temps que je remette toutes les points sur leurs i!

Roma

À matin, j'ai pas le goût de me faire endoctriner! Faut que j'aille travailler d'ins champs!

Romaine

Si, au lieu de laisser dormir ton fainéant de Beauregard, tu lui secouais les puces, c'est lui qui se retrouverait d'ins champs, pas toi! (*Elle est allée vers une chaise de jardin, l'a dépliée, a enlevé son long chemisier, s'est assise dessus la chaise et s'est mis un faux nez en aluminium sous les yeux.*) Toi, tu ferais comme moi: tu t'évacherais toute la journée, tu te ferais griller la couenne au soleil, tu t'amuserais à regarder ton énergumène de mari tomber dans le trou qu'avec madame Belleau j'ai creusé spécialement pour lui! Quand l'hiver de force va poigner, ton Beauregard sera pus rien d'autre qu'un légume surgelé au fond de ce trou-là. C'est pas ce que tu voulais?

Roma
Peut-être, mais je le voulais pas autant pis je le voulais surtout pas aussi rapidement!

Romaine
Je me doute ben pourquoi.

Roma
Tu peux pas comprendre.

Romaine
Non, je peux pas comprendre qu'une femme qui a un peu de plomb dans tête se laisse enfirouâper juste pour une question de petite bébite qui monte après elle!

Roma
Tu ridiculises ce qu'y a de plus beau dans l'amour.

Romaine
Ce qu'y a de plus trivial, tu veux dire! Parce que, faire des cochonneries dans le noir, y a juste les bêtes qui peuvent s'adonner à ça sans dégoût!

Roma

Tu peux pas comprendre: t'as jamais été mariée. Si ça avait été le cas, tu saurais au moins que c'est pas toujours dans le noir que ça se passe! À part ça, tu comprendrais peut-être que le sexe a pas grand-chose à voir avec la vie de couple. En tout cas, moi, c'est pas tellement pour ça que je me sens aussi ben avec Beauregard.

Romaine

C'est pourquoi c'est faire donc?

Roma

(*Elle s'éloigne, va vers le petit mouton qu'elle caresse.*) Quand ben même je t'expliquerais, ça donnerait rien: c'est impossible pour toi de te faire la moindre petite idée là-dessus. T'es trop chesse pis trop maigre pour ça. Tu peux pas l'imaginer. C'est comme de s'asseoir simplement sur un banc pis d'aimer ça.

Romaine

Des bancs, t'en as fait installer partout depuis qu'on est dans le deuxième rang! On peut pas aller nulle part sans trébucher sur l'un d'eux! C'est devenu une vraie menace pour la forêt québécoise! Quant à ta supposée grosseur pis à ta supposée laideur, je vois pas ce que t'aurais à t'en plaindre: de ce côté-là, ça a l'air d'aller plutôt ben depuis qu'on est partis de Montréal.

Roma

(*Elle a détaché le petit mouton de son piquet.*) Ce que tu peux me dire là-dessus, ça me fait pus rien maintenant. Maintenant, je suis plus consciente de l'invisible, je suis plus consciente de l'infini... je suis devenue une femme, une vraie!

Romaine

(*Elle s'est levée, va vers Roma qui se prépare à sortir de scène, suivie par le petit mouton qu'elle tient en laisse.*) C'en est rendu que tu parles comme Beauregard... le même langage complètement perverti! C'est à croire que t'as oublié pourquoi on se retrouve toués deux dans le deuxième rang! Tu veux que je te rafraîchisse la mémoire?

Roma

Je te l'ai dit: j'ai pas besoin de ça à matin. J'aime mieux aller travailler avec les ouvriers au fronteau de la terre. Je vas en retirer ben plusse que si je reste là à écouter tes sempiternelles litanies! (*La regardant en hochant la tête.*) T'es stérile, Romaine. Rien de plus triste pour une femme quand ça arrive pour elle parce que c'est comme si était déjà morte pis enterrée.

Romaine

Me dire ça après toute ce que je fais pour toi!

Roma

Tu fais rien pour moi. On fait rien pour les autres quand on s'acharne à toute défaire juste parce qu'on est frustrée!

Romaine

(*Roma quittant la scène.*) Moi frustrée? Moi frustrée parce que je m'en tiens à ce qui a été convenu avec Beauregard? (*Elle prend le public à témoin.*) Toute ce qui a été entendu, c'est que, Roma pis moi, on s'en

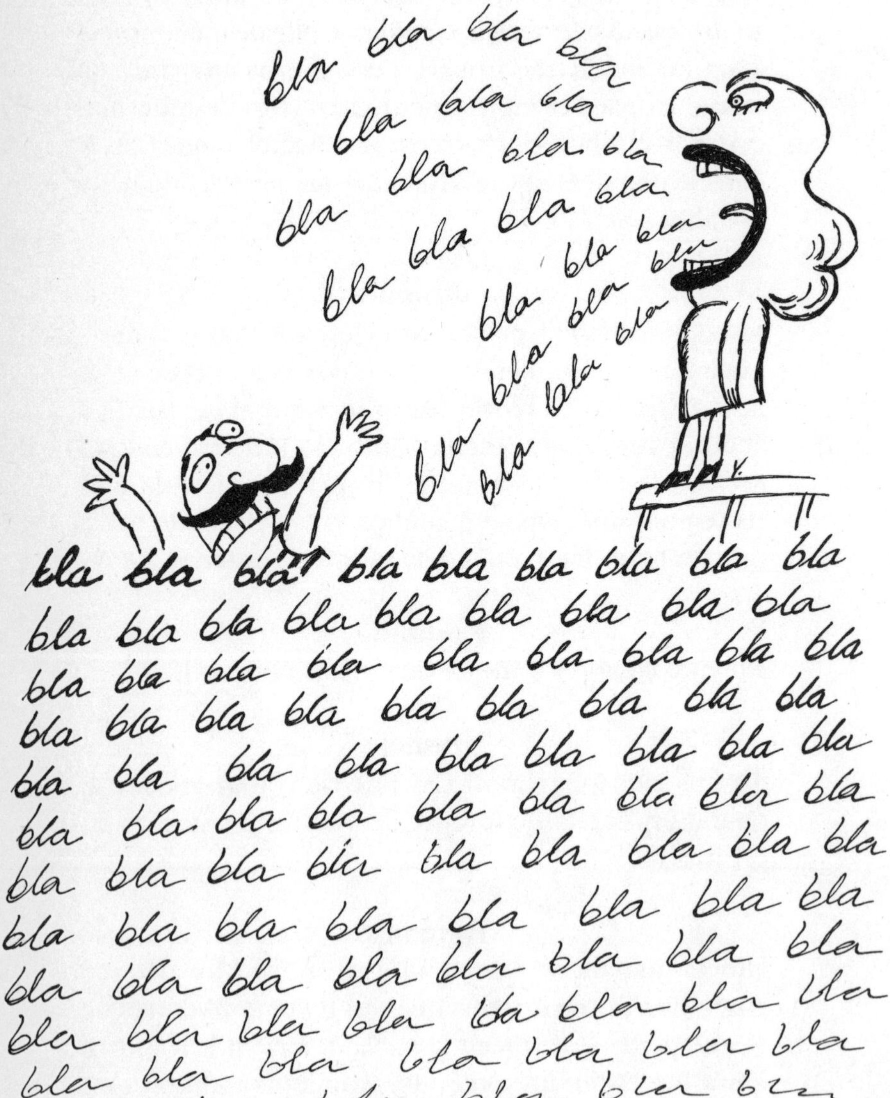

venait à Trois-Pistoles pour pleumer Beauregard avant la première gelée blanche. (*S'assoyant sur sa chaise de jardin.*) Jusqu'à présent, ça marche plutôt ben. Triturer des factures, les contrefaire pis les améliorer en ma faveur, c'est moins compliqué pis ça prend moins de temps que d'évaluer des manuscrits pour la Bibliothèque nationale! Je suis devenue pas mal experte là-dedans, quasiment autant que madame Belleau. (*Voyant madame Belleau sortir de l'école alors qu'elle tient à la main le récepteur du téléphone sans fil.*) Vous en aviez des choses à placoter avec votre producteur! (*Devant l'air chagrin de madame Belleau.*) On dirait que vous avez vieilli de vingt ans en dix minutes. Que c'est qui se passe?

Madame Belleau
Faut que je m'en retourne à Montréal, pis c'est comme qui dirait dans l'urgent. À Télé-Nécropole, y s'en viennent pareils comme à Radio-Cadenas: y coupent partout, même dans les adjectifs pis les adverbes que j'emploie pourtant avec une compétence que parsonne d'autre que moi peut se vanter d'avoir aussi précieusement.

Romaine
Des adjectifs pis des adverbes, c'est quand même pas ça qui change le monde!

Madame Belleau
Ça se voit ben que vous avez jamais lu une ligne de moi! Sinon, vous sauriez que je suis la championne toutes catégories de la forme adverbiale: certainement, parfaitement, probablement, énormément, contradictoirement pis anticonstitutionnellement! Rien

que ce mot-là, c'est dix secondes de moins à écrire dans un épisode! Si on m'enlève le droit de m'en servir à Télé-Nécropole, vous rendez-vous compte de toute le travail qu'y va falloir que je refasse entièrement? Quand je pense! Me faire ça à moi, à qui la télévision doit absolument ce qu'est devenue! M'obliger à me censurer sournoisement dans mes adjectifs pis mes adverbes, la partie la plus importante quantitativement de mon œuvre! (*Lui tendant le récepteur.*) Je m'en vas rejoindre la femme-cheval à l'autre boute du rang pour qu'à me ramène immédiatement à ma Cadillac. Je vas revenir aussi rapidement que possible. Vous pouvez compter sur moi... assurément, indubitablement!

Romaine
(*Regardant madame Belleau sortir.*) Ça va mal à shop, incontestablement! (*Le téléphone sonnant, répondant.*) Les arpents vermoulus à l'appareil. Que c'est que je peux faire pour vous? (*Changeant de ton.*) Comment ça, vous pouvez pas me livrer les trois containers d'avoine que je vous ai commandés pour aujourd'hui? Je le sais qu'on a pas besoin d'eux autres avant le printemps prochain, pis après? Si vous êtes trop habitant pour savoir c'est quoi la stratégie, achetez-vous donc un dictionnaire des petits mots logiques! (*Après avoir coupé la ligne, au public.*) Par icitte, sont tellement longs de comprenure qu'y pensent à engraisser leurs veaux quand ces veaux-là sont déjà devenus de la viande hachée depuis belle lurette! Après ça, ça se plaint que toute s'en aille à vau-l'eau! (*Elle réajuste son nez d'aluminium.*) Je suis aussi ben de profiter du soleil parce que, par icitte, le soleil, ça ressemble pas mal à un député: ça vient te rendre visite deux fois

dans même semaine, puis ça disparaît ensuite pour quatre ans!

Elle se met à son aise sur la chaise de jardin et, yeux fermés, s'offre, toutes jambes écartées, au soleil. Beauregard sort alors de la maison. Devant la porte, il bâille, s'étire, se passe la main dans les cheveux qui sont tout ébouriffés. Puis, désendormi, il voit Romaine en train de se faire manger toute ronde par le soleil.

Beauregard

(*En aparté.*) Quand t'as passé la nuit à côté d'une montagne pis que ça a pas accouché d'autre chose que d'une souris, c'est dur pour le r'quiens-ben d'avoir autant de peau bronzée brutalement de même devant les yeux. Un petit coup de queue en guise de coup de tête, je me contenterais de ça à matin. Mais avant, je devrais me soûler à mort. Maintenant que la Cour suprême permet le viol en autant qu'on soye soûl mort pour faire entrer la bobinette mâle dans la chevillette femelle, on aurait tort de se priver de deux plaisirs à fois. (*Romaine faisant sur sa chaise un geste qu'on pourrait prendre pour de la provocation.*) Surtout qu'arrête pas de me provoquer depuis qu'a vit avec Roma pis moi dans le deuxième rang. On dirait une jument quand ça s'écartille pour l'introït! Ça doit être sacrement rose dans le dedans des cuisses, comme un petit pot de gelée de cerises qui s'ouvrirait toute d'un coup. Pour un peu, je me prendrais pour la femme-cheval du bric-à-brac: j'en perdrais la tête jusqu'à mes grands sabots ferrés! (*Il allonge le bras vers Romaine.*) Juste effleurer cette peau-là du boute de mes doigts! (*Mimant.*) Faire venir dedans des milliers de petites chatouilles pareilles à autant de mordées à peine sauvages! Frôler la cuisse, frôler ce qui frisotte sous le linge, frôler enfin un ventre qui ressemble à un ventre, sans plis, sans plissotements, sans chuchotements à cause que dedans, les boyaux sont trop gras! (*Allongeant l'autre bras, ouvrant grandes ses deux mains au-dessus des seins de Romaine.*) Puis frôler ces deux petites coupoles avec le petit œil qui perce au-dessus de chacune, comme ça serait bon! Mon plaisir, y tomberait pus enfin de partout, pareil aux seins trop gros pis trop maternels pour rien de Roma quand a me force à les poigner. (*Ramenant légèrement ses mains vers lui.*) J'aurais dû faire inscrire ça dans le contrat que j'ai signé plutôt que de vivre sur le gros nerf comme c'est le cas astheure que je vis à Trois-Pistoles. (*Allongeant de nouveau les mains vers les seins de Romaine.*) Juste leur toucher, juste les sentir contre ma peau un tout petit moment!... Non!... Ça serait pas correct... Pas correct pantoute!

Comme il vient pour ramener une autre fois ses mains vers lui, Romaine pose brusquement les siennes dessus et les plaque contre sa poitrine.

Romaine
Ben oui que c'est correct! Quelle idée de mettre autant de temps pour assouvir un désir aussi inoffensif que celui-là! T'as juste à me les poigner, les tétons, si t'en as tellement le goût! Personnellement, pourquoi je serais contre? (*Beauregard essayant de se dégager, et elle le retenant.*) Quand le soleil monte haut de même dans le ciel, c'est normal que le reste en fasse autant, non?

Beauregard
(*Se dégageant enfin.*) Je peux pas faire ça à Roma!

Romaine

(*Se redressant.*) Tu t'en privais pourtant pas à Montréal!

Beauregard

C'était à Montréal. Pour le cas que tu l'aurais oublié, on est pus à Montréal personne, mais à Trois-Pistoles, dans le deuxième rang, à oublier le passé pour construire l'avenir! Comme ça me coûte les yeux de la tête, j'entends ben limiter mon corps juste à ça!

Romaine

(*Elle se lève.*) Parce que tu vas essayer de me faire accroire que celui de Roma te suffit? C'est comme rien: t'as pas dû la regarder depuis qu'on est installés icitte. A l'engraisse plus vite que tes bêtes à viande!

Beauregard

Que tu dises ça de ta sœur, je trouve ça écœurant!

Romaine

Que je dise ça de ma sœur, c'est pas ce qui est écœurant! Ce qui est écœurant, c'est que tu y joues la comédie pendant qu'elle, a se neye dans une véritable tragédie. T'es en train de la rendre obèse, autant dans sa tête que dans son corps. Quand ça va arriver pour de bon, tu vas faire avec elle comme tu fais avec tes veaux: tu vas la mener froidement chez l'encanteur le plus proche d'icitte! J'ai raison ou pas?

Beauregard

(*S'éloignant, en aparté.*) C'est ben certain qu'a l'a raison. Mais je suis quand même pas pour l'avouer pis me retrouver avec un bris de contrat sur les bras!

Depuis que je vis à Trois-Pistoles, j'ai appris la patience, surtout avec Roma. Pour avoir la paix avec elle la nuite, je me défonce toute la journée. Comme ça, quand je me retrouve au lite avec elle, je tombe mort, aussi ben de la pompe à feu que du reste. De toute façon, Roma voit pas la différence: a me prend pour son père qui lui tenait la main sur le banc des innocents, ce qui suffisait pour la faire saliver de partout. (*Regardant Romaine à la dérobée alors que, provocante, elle se caresse le ventre de la main.*) Moi, c'est certain, j'aimerais mieux saliver autrement. Faire trempette de mon pinceau...

Romaine

(*Elle s'approche.*) T'attends quoi pour répondre à ma question: je me trompe ou pas par rapport à Roma?

Beauregard

Tu le sais aussi ben que moi que j'ai faite un mariage intéressé, mariage dont tu tires ton profit, me semble ben.

Romaine

Je prends seulement ce que j'ai le droit de prendre selon le contrat qu'on a signé ensemble.

Beauregard

(*En aparté.*) Passe encore qu'a considère Roma comme une dinde, mais est mieux de faire attention à elle si a pense me truffer de ses farces! A pourrait s'en retrouver elle-même gavée jusqu'au rasibus du cou! (*À Romaine.*) Le contrat qu'on a signé ensemble, imagine-toi donc que je le connais par cœur. Mais, entre autres choses, c'est stipulé dedans que je dois être tenu au courant de toutes les factures qui concernent mes affaires. Jusqu'à présent, j'ai pas encore vu l'ombre de la queue de seulement la première de ces factures-là! Pourtant, t'arrêtes pas de commander. Au rythme que tu fais ça, je serais aussi bien d'acheter en même temps Isidore Labrie, la menuiserie Desmeules pis la Coopérative agricole!

Romaine

(*En aparté.*) Au rythme que je fais ça, Beauregard aurait quéque chose de ben plusse intelligent à prévoir dès maintenant. Y devrait réserver tusuite son lot au cimetière, à côté de sa légateuse matante Alice qui a même pas eu droit encore à sa pierre tombale! (*À Beauregard.*) Je commande rien d'autre que ce qui est nécessaire dans le cadre des travaux qu'y faut exécuter.

Beauregard

Ça se peut sauf qu'on a pas besoin de toute ça en même temps! J'ai pas trente-six paires de mains, ni trente-six paires de pieds! Je suis pas rendu en haut de mon échafaud pour radouber la maison qu'y faut que j'en redescende pour courir au fronteau de la terre parce que mes bêtes à cornes sont rendues dans le champ de blé du voisin!

Romaine

J'ai pourtant faite livrer là toutes les piquets, toutes les pieux pis toutes les parches qu'y faut pour refaire les clôtures!

Beauregard

Planter un piquet dans roche, ça demande sacrement plusse qu'un simple coup de masse!

Romaine

Tu te fatigues peut-être trop la nuite à planter un autre genre de piquet avec une masse qui m'a tout l'air de jouer à l'hypocrite comme toi. (*Devant lui.*) À moins que ça soye la campagne qui te réussisse pas? T'as peut-être pas le corps qu'y faut pour toute le soleil qu'on a? Mais c'est vrai que, dans le noir, n'importe quelle chatte devient grise! C'est donc autrement plus facile de se neyer dedans que d'affronter la réalité dans le plein du jour. (*Le provoquant.*) Tu réponds quoi à ça, Beauregard Litalien?

Beauregard

(*Se dégageant.*) Ça te donne rien d'essayer de me provoquer juste pour te défiler par rapport à façon que t'as de gérer nos affaires, à Roma pis à moi.

Romaine

C'est autant mes affaires que les vôtres! Pis comment je les mène, c'est aussi transparent que de l'eau de roche!

Beauregard

Dans ce cas-là, montre-moi les factures, fais-moi voir les comptes pis donne-moi la liste de toutes les chèques déjà encaissés par nos fournisseurs!

Romaine

Dans la clause trois de notre contrat, c'est écrit à l'alinéa deux, paragraphe petit B, que j'ai trois mois pour répondre à ces exigences-là. Que je sache, les trois mois sont pas encore écoulés.

Beauregard

T'oublies la clause quatre, à l'alinéa six, paragraphe petit Q, qui dit que si Roma pis moi on est d'accord la clause trois peut être révoquée dans son alinéa deux, paragraphe petit B. (*Romaine se dégageant et paraissant toute défaite dans son corps, en aparté.*) À pleumeuse de poulet, pleumeur et demi! Si a pensait m'avoir avec son fameux contrat, a s'est mis un doigt dans l'œil pis jusqu'au coude! J'ai ben hâte maintenant d'entendre la suite! (*À Romaine.*) À télévision, quand une réplique met du temps à venir, c'est que les carottes sont cuites, c'est que la patate a collé au fond, c'est que le chou-fleur est fané, c'est qu'on est rendus à fin des haricots, c'est que ça sent la courge ramollie, la pomme piquée pis le jus de betterave!

Romaine

(*Qui s'est encore éloignée, en aparté.*) Beauregard confond le vrai théâtre avec ce qu'y a de plus sté-réotypé dans un mauvais feuilleton de Guy Fournier quand y engage ses fiers-à-mots pour qu'y écrivent ça entre quatre yeux! C'est grand temps que je lui remette sa pendule à l'heure juste! Comme y va s'en rendre compte, dans le vrai théâtre, madame Belleau a pas besoin de traîner en cour ses adversaires machos pour gagner sur n'importe quelle ligne, même ouverte! Mais faisons durer le plaisir avant de passer à l'assaut final.

Beauregard

(*En aparté.*) Je savais que je lui avais sonné la bonne cloche. Maintenant que son chaudron est fêlé, je vas lui casser le couvercle définitivement. (*À Romaine.*) J'exige, rien de moins pis tusuite, toutes les pièces justificatives des achats que t'as faites depuis notre arrivée à Trois-Pistoles!

Romaine
(*Redressant la tête, se drapant dans une dignité aussi empruntée que de circonstance.*) L'ingratitude est le père de tous les sévices que l'homme, dans sa grande présomption, fait encore endurer à la femme!

Beauregard
Message téléromanesque reçu, pauvre épigone de madame Belleau! Mais moi, ce que je veux entendre, c'est Romaine Tremblay, pas l'avatar de madame Belleau!

Romaine
(*Changeant de ton, minaudant de son corps.*) Même si je parlais vraiment de moi, tu serais pas capable de m'entendre.

Beauregard
Je demande pourtant rien d'autre depuis un bon petit moment déjà.

Romaine
T'arrêtes pas de m'interrompre tout le temps. Comment tu veux que je m'explique pis que je dise toute ce que j'ai depuis toujours sur le cœur?

Beauregard
Toi, tu parles maintenant de ton cœur? T'as toujours prétendu que t'étais comme madame Belleau pis que t'en avais pas.

Romaine

Mon cœur, je le cachais parce que j'ai toujours trop souffert à cause de lui. C'est-ti de ma faute à moi si je suis née avant Roma, entre un père incompétent toujours assis sur son banc des innocents pis une mère hystérique? C'est-ti de ma faute à moi si j'ai été sevrée trop vite parce que Roma a eu la malheureuse idée de venir au monde dix ans après moi?

Beauregard

Quel rapport avec ce qu'on parle?

Romaine

(*Hochant la tête.*) Les hommes, vous êtes ben toutes pareils: juste la lettre, jamais l'esprit! (*Dégageant, changeant de ton.*) Tu comprendrais toute si tu pouvais te figurer l'enfance pis l'adolescence que j'ai eues parce que j'étais belle, intelligente pis débrouil-larde, contrairement à Roma...

Beauregard

(*L'interrompant.*) Qui était loin d'être une cent watts, je sais déjà toute ça, pis deux fois plutôt qu'une maintenant que je vis avec elle.

Romaine

Ce que tu peux pas savoir, c'est comment moi je me suis toujours sentie par rapport à ça.

Beauregard

Rien qu'à te voir, c'est facile de deviner que tu t'en es tirée plutôt ben amanchée (*Au public.*) pis plutôt ben amanchable par la même occasion.

Romaine

Tu raisonnes encore comme un homme. Tu peux pas comprendre que, pour une femme, la beauté c'est avant toute intérieur. Moi, j'ai toute fait pour la tuer, ma beauté intérieure. Je me suis pratiquée pendant des années à être aussi grosse pis aussi laite par en dedans que Roma pouvait l'être extérieurement. Je me suis sacrifiée pour elle, je me suis éteindue pour elle, même dans la carrière que j'aurais pu entreprendre. J'étais douée pour les affaires, j'aurais pu m'appeler Pierrette Péladeau, ou ben Bernardine Lamarre, ou ben Denise Bombardier, ou ben Camilienne Charron, ou ben Hilairette Larrivée. J'aurais faite embouteiller des millions de bouteilles de Pepsi, j'aurais faite poser des fils électriques pis des prises de courant de Saint-Jean-de-Dieu à Calgary, j'aurais inventé les snowmobiles du plein air, j'aurais dévalé la cascade pis lancé des tas de journaux tellement jaunes qu'on aurait même pas eu besoin de leur demander de jaunir de vieillesse! (*Changeant de ton.*) Mais je me suis privée de faire toute ça à cause de Roma. J'ai été ben mieux qu'une mère pour elle: je me suis complètement sacrifiée pour ma sœur! Je l'ai faite entrer à Revenu Québec pis moi je me suis enfermée dans salle des mots pardus, morts pis enterrés de la Bibliothèque nationale! J'ai perdu ma vie pour rien, je me suis aliénée, je suis devenue grosse pis laite par en dedans pis ça me tue, ça me déprime à mort. Si je m'écoutais, je ferais pus rien d'autre que de pleurer jusqu'à tomber raide morte pis desséchée. Je mérite pas mieux. (*Dans un soupir.*) Excuse-moi: j'ai perdu la tête. J'aurais dû garder toute ça pour moi.

Ce disant, elle plie les genoux et se met les mains dans le visage. Ses épaules tressautent comme si

tout le malheur du monde s'était abattu sur elle.
Beauregard s'approche, l'air tout désarçonné.

Beauregard

Je savais pas que t'avais souffert de même à cause de Roma. C'est donc pas à toi de t'excuser: ça serait plutôt à moi. Je pouvais pas me rendre compte jusqu'à quel point Roma t'a toujours empêchée d'être heureuse. Pour me faire pardonner, je sais pas quoi faire. (*Lui tendant la main.*) Mais reste pas dessus tes genoux de même: ça me fend trop le cœur.

Romaine

Si j'avais la moitié du courage de madame Belleau, je pense que je songerais sérieusement à me suicider.

Beauregard

(*Insistant par rapport à sa main tendue.*) Relève-toi. Si un homme est vraiment un homme qu'à genoux, c'est pas pareil pour une femme. (*Comme timidement, elle lui donne la main.*) Si tu veux, on va entrer à maison, je vas te préparer un bon petit déjeuner, pis après...

Romaine

Pis après?...

Beauregard

Après, on va aviser avec Roma de ce qu'y convient de faire. (*Lui tirant finement le bras.*) Viens.

Romaine

(*En aparté.*) Maintenant que le barbecue est toute grillé d'un bord, toastons-le de l'autre côté. (*Se redressant, regardant Beauregard.*) Mais je t'ai pas encore dit ce qu'y a de plus important.

Beauregard

Tu pourrais rien me dire de plus important pis de plus émouvant que ce que tu m'as déjà raconté.

Romaine

(*Debout devant lui.*) Je t'aime! Tu le vois donc pas que je t'aime? Tu le vois donc pas que je me meurs de ton corps à force de le désirer comme je le désire?

Elle ne laisse pas à Beauregard le temps de revenir de sa surprise: elle lui saute littéralement dessus et l'embrasse férocement. Beauregard fait mine de vouloir mettre fin au jeu, mais c'est pour mieux succomber. Il se laisse pousser vers un tas de planches, trébuche dessus. Quand Roma apparaît sur la scène, Romaine et Beauregard se sustentent sauvagement de leurs corps. Roma en échappe le petit mouton qu'elle tenait dans ses bras et qui est visiblement mort.

Roma

J'aurais ben dû me douter depuis le début que je verrais un jour ce que je vois là! Quand le petit mouton s'est faite écraser tantôt sous la roue d'un tracteur, j'aurais déjà dû toute comprendre. (*Comme un cri du cœur.*) Vous êtes vraiment écœurants!

Beauregard

(*Essayant de se défaire de l'emprise de Romaine.*) C'est pas ce que tu penses! C'est pas ce que tu penses pantoute!

Romaine

(*S'arrangeant pour le retenir.*) C'est encore ben pire que ce que tu penses... ben pire!

Beauregard

(*Se redressant.*) Romaine m'a tendu un piège, comme toujours.

Romaine

Y m'aurait violée si t'étais pas arrivée!

Beauregard

C'est elle qui m'aurait violé si t'étais pas arrivée!

Romaine

Depuis le temps que madame Belleau pis moi on essaye de t'apprendre que les hommes sont rien d'autre que des menteurs, des hypocrites, des fourbes pis des traîtres! J'espère que Beauregard vient enfin de t'en donner la preuve définitive!

Beauregard

Depuis le temps que je te dis que Romaine est une monstresse pire que toutes les bêtes du parc jurassique ensemble! Toutes ces factures qu'on a jamais vues, toi pis moi, penses-tu que c'est par honnêteté que Romaine nous les cache depuis le début?

Romaine

(*À Beauregard.*) Fatique-toi pas pour rien: Roma est au courant pour ce que je fais avec les factures. C'est grâce à son expérience à Revenu Québec que j'ai pu les truquer pis les contrefaire aussi ben! C'est grâce à son expérience à Revenu Québec que le chaudron de fer pis le bas de laine de ta tante Alice sont maintenant aussi vides que ta pauvre cervelle de macho perverti! Pour ta maison, pour tes champs pis pour tes bêtes, c'est pas mieux: on a tellement ben hypothéqué toute ça que betôt tu vas te retrouver aussi nu que quand t'es venu au monde! (*À Roma qui sanglote.*)

Pourquoi tu pleures? La vengeance, c'est un plat qui se mange fret!

Beauregard
(*Allant vers Roma.*) Je rêve, je suis certain que je rêve!

Romaine
(À *Beauregard.*) Tu rêves pas! (À *Roma.*) Dis-lui donc que t'étais au courant de toute pour qu'on en finisse tusuite!

Beauregard
(À *Roma.*) Tu vas quand même pas m'avouer que Romaine a raison?

Roma
À matin, si tu t'étais levé en même temps que moi comme je te l'ai demandé, on en serait pas là. J'avais l'intention de toute te raconter parce que j'étais enfin certaine que tu m'aimais.

Beauregard
Mais je t'aime! Je pourrais pus me passer de toi!

Romaine
Un chausson aux pommes avec ça aussi peut-être? (*S'approchant, à Beauregard.*) Tes bagages pis sacre ton camp! C'est toute ce qui te reste à faire!

Beauregard
(À *Roma.*) Je te jure sur la tête de ce que j'ai de plus cher...

Romaine

(*L'interrompant.*) Celle sans doute de ta pauvre tante Alice que t'as faite enterrer le ventre en bas pour être certain qu'a repousse pas par en haut?

Beauregard

C'est rien de plusse qu'une farce que je vous ai racontée!

Romaine

Avec des farces pareilles, t'aurais été mieux avisé de trouver à t'embaucher chez Ding et Dong! Pour faire la cloche, je veux dire! Ou ben la dinde de môman, tant qu'à y être!

Beauregard

Tu dis un mot de plusse pis je réponds pus de moi! (*À Roma.*) Viens, on va aller marcher dans les champs. Je suis certain que, entre toi pis moi, le malentendu, on va vite le dissiper.

Romaine

(*À Beauregard.*) Plus menteur, plus hypocrite, plus licheux de balusse que toi, même madame Belleau pourrait pas l'inventer!

Beauregard

Un mot de plusse pis je te fais fermer le pisse-vinaigre pour toujours!

Romaine

Encore ta grosse bouleshit, rien d'autre!

Beauregard

C'est toi qui l'auras voulu!

Romaine

Mais c'est toi qui l'as pas eu!

Beauregard tombe violemment sur Romaine. Les deux se bousculent si bien qu'ils se retrouvent par terre, Beauregard essayant d'étrangler Romaine.

Roma

Au fond, vous me faites pitié toués deux. Vous êtes aussi pourris l'un que l'autre, aussi corrompus l'un que l'autre! Si j'étais pas si naïve, je m'en serais rendu compte ben avant pis je serais toujours restée avec popa même si c'était juste sur son petit banc des innocents. Maintenant, j'ai toute perdu, même le petit mouton que j'aimais. (*Elle se penche vers lui, le prend et le presse contre elle.*) On fait jamais rien d'autre que mourir quand on a juste sa pureté en guise de laine sur le dos. (*Embrassant le petit mouton.*) Viens-t'en avec moi. Y doit sûrement y avoir encore une roue de tracteur en quéque part pour m'écraser en dessous. (*À Romaine et Beauregard.*) Je voudrais ben vous aguir mais je suis comme popa: je me suis jamais assise avec lui sur le banc de la tromperie assez longtemps pour ça!

Elle sort de scène avec le petit mouton.

Romaine

(*À Beauregard, qu'elle repousse brutalement.*) Si, en plusse d'une tentative de viol, tu veux pas avoir un suicide sur le dos, vaudrait mieux que tu coures après Roma. Est ben capable de faire ce qu'a prétend.

Beauregard

(*Se levant.*) Quand je vas l'avoir convaincue du sentiment que j'ai pour elle, c'est toi qui auras pas d'autre solution que de te trouver une roue de tracteur pour disparaître en dessous d'elle! Heureusement que t'as acheté suffisamment de corde pour te pendre avec elle! C'est la fin que je te souhaite, pauvre macho débandée!

Il sort de scène en courant. Romaine, qui est assise par terre, se frotte le cou.

Romaine

Heureusement que j'ai du nerf, sinon y m'en resterait pus. Ça m'apprendra à essayer de faire comprendre au monde que la vie, c'est pas un feuilleton larmoyant avec juste des hommes qui ont le droit d'en être les vedettes. (*Se levant.*) Mais j'aurais ben besoin de voir madame Belleau pour faire caucus là-dessus. (*Elle va vers la chaise de jardin, s'y assoit, fait bouger la girouette et prend le téléphone sans fil.*) Toute ce que j'espère, c'est qu'a soye pas en studio en train d'apprendre aux acteurs à marcher à quatre pattes parce que ça risquerait de la retenir longtemps: les hommes sont si peu doués quand y s'agit de représenter ce qu'y sont vraiment!

Alors qu'elle compose un numéro, la femme-cheval arrive sur scène, attelée à sa voiture. Madame Belleau est assise dans la voiture, mais elle porte cheveux longs, barbe, moustache et arbore un chapeau de paille, de façon qu'on puisse la prendre pour l'auteur de L'Héritage.

Romaine

(*Qui en tombe littéralement des nues, et laissant choir par terre le téléphone sans fil.*) Toute *L'Héritage* en pleine face de même. Si je le verrais pas, ça serait pas croyable!

Madame Belleau

(*Elle essaie de se tirer de la voiture mais, n'y arrivant pas, à Romaine.*) Venez donc m'aider plutôt que de rester là, les yeux pognés dans le fixe comme si vous étiez toastée des deux bords!

Romaine

(*Au public.*) Je comprends pus: c'est la voix de madame Belleau mais c'est ben le langage de *L'Héritage*. (*Se levant, à madame Belleau.*) Que c'est qui se passe donc?

Madame Belleau

(*Prenant le bras de Romaine, arrivant à s'extirper de la voiture et alors que la femme-cheval, après avoir henni, s'en va.*) La pire des choses qui puissent arriver à la plus grande téléromancière du Québec: être obligée de porter le masque de l'ennemi! (*Allant vers le petit banc.*) Faut que je m'assise, sinon je serai pus capable de parler de rien de.

Romaine

(*Alors que madame Belleau s'assoit.*) Ça va si mal que ça? Pourtant, ça avait l'air de ben marcher pour votre nouveau téléroman.

Madame Belleau

Ça avait l'air mais pas la chanson, ni même le bon titre. *Le Bonheur total*, c'était pas une idée rentable pour ce que la télévision est devenue: une agace-pissette pour l'homme du Nouvel Âge, rose bonbon pis sucée longtemps, avec pas plusse de cervelle que de psychologie pour la remplir. Ça explique qu'on aye saboté mon feuilleton.

Romaine
Comment ça?

Madame Belleau
Les vrais rapports entre hommes pis femmes, y veulent pus en entendre parler à télévision! Faut que ça se passe toute comme dans *L'Héritage*, dans de l'inceste en bas comme en haut de la ceinture, ou ben y faut que ça se passe comme dans *Scoop*, à grands coups de langue pis de queue, de préférence dans le coffre arrière d'une Porsche! Rien que du cul, jamais de tête, pis encore moins de cœur! Dans un système pareil, comment voulez-vous que moi, qui parle jamais que de choses importantes, je peuve encore avoir ma place? Je suis découragée à mort, avec pus aucun espoir sur l'avenir d'une véritable féminitude télévisuelle. Toutes des Yvettes, pas d'Agrippines, de Messalines pis de Saphos de Lesbos nulle part! J'ai raté le grand œuvre de ma vie. Pourtant, c'était si beau quand j'écrivais philosophiquement: «Prendrais-tu encore un café ou bien un thé peut-être, avec deux cuillerées de sucre ou seulement une?» (*Hochant la tête.*) Ça, c'était de l'écriture! Profonde. (*Se tapant sur le ventre.*) Pis qui venait de là!

Romaine
Peut-être ben, mais pourquoi la drôle de tête que vous avez astheure?

Madame Belleau

Oubedon je devenais un nègre en écriture, même pour moi-même, oubedon, je m'accrochais à veine noire de la destinée. Comme de deux mots j'ai toujours choisi le moindre, fallait ben que j'en vienne à ce que vous voyez maintenant, même si c'est à mon corps défendu. Mais vous-même, avez-vous de quoi me consoler d'être pris désormais des deux bords dans le toaster de?

> *Romaine n'a pas le temps de répondre, la femme-cheval arrivant sur la scène, toujours attelée à la voiture. Dans la voiture, le corps tout mou de Beauregard balle. Dans un havresac harnaché sur les épaules de Roma, la tête du petit mouton dépasse.*

Madame Belleau

(*À Romaine, alors que la femme-cheval tombe à genoux et baisse la tête.*) En m'accrochant à veine noire de la destinée, j'aurais déjà dû savoir que ça pouvait pas se passer autrement. Y reste pus rien maintenant, pus une seule petite image à faire venir. Mais peut-être ben que le petit écran a toujours été vide au fond pis que j'en savais rien. Ben sûr... ben sûr.

Romaine

(*Se levant, allant vers Roma.*) Que c'est que tu y as faite?

Roma

J'ai pas eu besoin de rien faire. Quand y a enfin compris que toi pis madame Belleau...

Madame Belleau

Je suis pus madame Belleau...

Roma

(*Reprenant, à Romaine.*) Quand Beauregard a enfin compris que, toi pis madame Belleau, vous avez pas faite autre chose que de nous manipuler, y est devenu tellement furieux qu'y est parti à fine épouvante pour revenir icitte afin de te le dire. Sa voiture a capoté dans le ravin, entre le boute de la terre pis icitte. (*Elle touche le corps de Beauregard.*) On aurait pu s'aimer vraiment toués deux pis être heureux, même si on avait faite juste comme popa pis moman, en restant assis sus le banc des innocents comme tu disais. On se serait contentés de regarder la lune plutôt que d'essayer de la décrocher pour se perdre dans sa noirceur. (*Cessant de toucher Beauregard.*) Ma pauvre Romaine! T'es devenue ma petite sœur même malgré toi, pis ça aura pus rien à se dire, jamais!

Romaine

(*Roma étendant un drap sur le corps de Beauregard.*) Laisse-moi t'aider.

Roma

J'ai pas besoin de ton aide. J'aurai pu jamais besoin de ton aide, même quand je vas m'en aller. Je sais qu'ailleurs ça sera toujours mieux qu'icitte parce qu'ailleurs ça sera pus du mélodrame pour la télévision, mais peut-être de la vie, de la vraie vie tout court. (*Parce que Romaine veut toujours l'aider, la repoussant.*) Non, Romaine! Pas avec moi! Pus jamais avec moi! J'ai autre chose à faire maintenant.

> *Roma commence à danser lentement et à se déshabiller, initiant le cérémonial que la musique va marquer dans un rythme qui va aller en s'amplifiant. Romaine va vers madame Belleau.*

Romaine

(À *madame Belleau.*) Si ça se passe comme ça, c'est qu'on a peut-être pas toute lu pis que, ce qu'on a lu, on l'a mal lu. Y nous reste peut-être toute à apprendre dans le domaine de l'invisible pis de l'infini féminin. Même si Beauregard en valait pas la peine, ça serait sans doute pas se déconsidérer comme femmes si on l'assistait dans sa mort?

Madame Belleau

(*Elle se redresse brusquement, enlève son chapeau, sa perruque et sa barbe.*) Jamais! Même à court d'inspiration, le seul moyen de travailler à notre délivrance, c'est de refuser malgré toute le cantique d'amour à nos oppresseurs même morts!

> *Madame Belleau jette par terre chapeau, perruque et barbe, puis sort de scène. Romaine tombe à genoux, les larmes se mettant à lui couler des yeux, tandis que Roma danse de plus en plus frénétiquement, emportée par la musique. Lorsqu'elle s'est toute dépouillée de sa vieille peau, Roma apparaît au public comme métamorphosée, radieuse et belle. Elle s'arrête de danser.*

Roma

Être une femme, juste une femme, pourquoi ça pourrait pas recommencer aussi simplement, aussi librement que ça?

> *Sur ces mots de Roma, et alors qu'elle se remet à danser, le noir se fait sur la scène.*

FIN

DATE DUE

APR - 8 1996	

UPI 261-2505 G

PRINTED IN U.S.A.